제
6
권

이 한 권의 책을
이 땅의 모든 남성들에게
바칩니다

6권을 펴내며

 "내가 죽는다고 조금도 어쩌지 말라. 내 평생 나라를 위해 한 일이 아무 것도 없음이 도리어 부끄럽다. 내가 자나 깨나 잊을 수 없는 것은 우리 청년들의 교육이다. 내가 죽어서 청년들의 가슴에 조그마한 충격이라도 줄 수 있다면 그것은 내가 소원하는 일이다. 언제든지 눈을 감으면 쾌활하고 용감히 살려는 전국 방방곡곡의 청년들이 눈앞에 선하다."

 이는 65살의 나이에 폭탄 의거로 순국의 길을 걸은 강우규 의사가 사형 집행을 앞두고 남긴 말이다. 나라를 빼앗은 흉악한 일제에 온몸으로 저항한 것이야말로 '나라를 위해 큰 일'을 한 것이지만 강우규 지사는 겸손하게 '나라를 위해 한 일이 없다'고 했다. 그러면서 숨을 거두는 순간까지 '청년들의 교육'을 걱정했다. 그러한 강우규 의사의 숭고한 나라사랑 실천 행동 뒤에는 탁명숙이라는 여성독립운동가가 있었으나 이를 아는 사람은 많지 않다.

어디 탁명숙 애국지사뿐이랴! 핏덩이 갓난아기를 남겨두고 독립운동에 뛰어든 박치은 애국지사가 있는가 하면 고무공장 노동자들의 권익을 위해 평양의 을밀대 지붕 위에서 시위를 한 강주룡 애국지사도 있다. 또한 통영 출신의 기생 정막래 애국지사가 있는가 하면 독립운동하다 잡혀 모진 고문에도 동지들 이름을 끝내 대지 않아 왜경이 혀를 찼다는 장태화 애국지사도 있다.

이처럼 저마다 신분이 다르고 배움이나 집안 배경도 달랐던 여성들이었지만 각자가 처한 환경에서 독립운동의 끈을 놓지 않았던 여성독립운동가 스무 분을 골라 《서간도에 들꽃 피다》 6권에 실었다. 이로써 120분의 여성독립운동가의 삶을 조명하는 셈이지만 부족한 점이 많다. 언제나 앵무새처럼 지껄이는 말이 '자료부족' 이라고는 하지만 정말 너무하다고 할 만큼 한 분 한 분의 남아있는 기록이 엉성한 게 사실이고, 현실이다.

그렇다고해서 우리가 잘 모르고 지내온 여성독립운동가를 알리는 일을 중도에 그만 둘 수도 없는 일이다. 이 작업은 누가 시켜서 하는 것도 아니고 그 어느 기관의 도움을 받아서 하는 일도 아니며 오로지 나 자신과의 약속을 지키기 위한 작업이기에 채찍을 가할 수밖에 없다.

나 자신에 대한 채찍이라고는 했지만 그것은 또한 지하에 계신 수많은 여성독립운동가들과의 약속이기도 하다.

김춘수 시인의 시가 아니더라도 우리가 여성독립운동가들의 이름을 불러주는 것이야말로 침략과 식민의 어두운 시기를 살다간 선열들에 대한 최소한의 예의라는 생각이 들어 이 작업을 지속하고 있다. 아니 지속해야만 한다. 그나마 조금씩 책을 찍으라고 보태주던 지인들의 인쇄비 후원의 손길도 하나둘 끊어져 이제는 정말 벼랑 끝에 선 느낌이지만 〈10권〉까지 가리라는 각오는 변함이 없다. 어디선가 백마 탄 기사가 나타나길 바라며 이 책 〈6권〉을 이 땅의 남성들에게 바친다.

단기4349년(2016) 7월15일

북한뫼 자락에서 **이윤옥** 씀

차 례

노동자 민족차별에 항거한

강주룡

숨 쉬기도 거북한
고무 탄내
공장 안에서

폐부에 달라붙어
켜켜이 쌓여가는
죽음의 그림자
뒤로하고

힘겨운
작업량 채우며
하루하루 버티던
어린 소녀들

밥이나
제대로 먹게 해주라고
을밀대 지붕 올라가
울부짖던 임은

일제 자본가에겐
눈엣가시였지만
어린 여공들에겐
자애로운 어머니였어라

강주룡 (姜周龍, 1901~1932.6.13) 애국지사

"유치(留置) 중인 강주룡, 단식 74시간, 을밀대 위에 올라갔던 여직공, 감임취소(減賃取消)해야 취식(取食)한다." 이는 1931년 6월 2일 동아일보 2면에 큼지막하게 나온 기사 제목이다. 단식 74시간이라는 말에 가슴이 철렁 내려앉는다. 거기다가 노동쟁의를 위해 평양의 을밀대 지붕에 올라갔다는 말도 예사롭지 않은 말이다.

서른 한 살의 강주룡 애국지사는 어째서 단식 74시간에 들어갔던 것일까? 74시간이라면 만 3일하고도 2시간이나 되는 시

을밀대 옥상에서 민족차별과 노동자 탄압을 항의하던
강주룡 애국지사 기사 〈동아일보 1932.8.17〉

간 동안 곡기를 끊었다는 이야기다. 당시 강주룡 애국지사의 단식 사건은 1931년 6월 2일치 기사 말고도 각 신문에서 대서특필할 정도로 큰 관심을 보였다. 강주룡 애국지사는 1931년 5월 평원 고무공장 파업을 주도하던 중 왜경의 간섭으로 공장에서 쫓겨나자 을밀대 지붕에 올라가 무산자의 단결과 노동생활의 참상을 호소하는 한편, 고용주의 비인도성을 거세게 비판하며 단식투쟁을 벌였다. 감히 여성으로 감당하기 어려운 일을 강주룡 애국지사는 해낸 것이다.

평북 강계에서 태어난 강주룡 애국지사는 14살 때 서간도로 이주하여 통화현의 최전빈과 결혼했다. 24살 때 채찬(蔡燦 다른 이름 백광운) 아래서 독립운동을 펼치던 남편이 순국하자, 강주룡 애국지사는 가족을 데리고 귀국하여 사리원을 거쳐 평양에 정착, 평원 고무공장의 여공으로 일하며 가장 노릇을 했다. 1930대초 평양에서는 고무공장 노동자들을 중심으로 파업투쟁이 거세게 일어났다.

1929년 세계적인 경제 공황으로 고무공업이 타격을 입자, 고무공업계는 1930년 5월 23일 서울에서 열린 전조선고무공업자대회를 통해 임금 인하를 결의하였다. 1930년 8월 1일 평양고무공업조합이 이 결정에 따라 종래 임금의 17% 삭감을 노동자들에게 일방적으로 통고하자, 노동자들은 일제와 그에 결탁한 자본가들을 비판하며 반대투쟁을 일으켰다.

강주룡 애국지사는 1931년 5월 평원 고무공장 파업 주도를 하면서 일제의 민족차별에 반대하는 노동운동을 펼치다 체포되어 옥고를 치렀다. 여장부로 신문지상의 주목을 받던 그는 투옥 중 극심한 고문으로 보석 출감되었지만 고문 후유증으로 출감 두 달 만에 서른한 살의 나이로 숨을 거두었다.

정부는 고인의 공훈을 기려 2007년, 건국훈장 애족장을 추서하였다.

▶ ▶ ▶ 더 보 기

1930년대 여성노동자들의 노동운동

여성노동자들은 1930년 부산 조선방직, 평양 고무공장 총파업을 통해 폭발적인 힘을 분출시키면서 그들이 처한 상황에 대한 요구를 명확히 제기하기 시작했다. 방직공장과 고무공업은 본래 여성노동자가 많았지만 이들의 처우는 형편없이 열악했다. 이러한 여성노동자의 요구가 잘 드러난 것이 1930년 8월에 일어난 평양지역 고무공장 총파업이었다. 1930년 8월에는 평양의 10개 고무공장의 1,800여 명 노동자들이 총파업에 들어갔다.

평양 고무공장 파업에서 여성노동자의 투쟁력은 다른 어느 곳보다 양적, 질적인 면에서도 높이 살만한 일이었다. 이들은 파업에서 능동적으로 발언을 했고 공장습격도 적극적으로 참가했다. 평양 고무공장 파업은 이와 같은 여성노동자의 투쟁력을 기반으로 해서 임금인하 반대라고 하는 경제적 요구를 내걸고 일어났다.

특히 이들의 요구 가운데 주목되는 것은 '산전산후 3주간 휴양 및 생활보장, 수유시간 자유' 등 모성보호에 대한 요구를 했다는 점이다. 모성보호는 기혼 여성노동자의 노동권을 확보하기 위해서는 가장 중요한 요구였고, 고무공업은 기혼여성이 많다는 점에서 동일노동 동일임금 요구와 함께 파업의 주요한 요구사항으로 제기되기 시작하였다.

평양 고무공장 총파업에서 여성노동자들의 활약은 괄목할만한 것이었다. 총파업에 참가한 노동자 가운데 3분의 2 정도가 여성노동자였던 점에서 알 수 있듯이 여성노동자, 특히 기혼 여성노동자의 투쟁력은 매우 높았다.

경제 불황을 구실로 평양의 고무공장 자본가들이 짬짜미(담합)하여 임금 1할 인하를 결의하자 "임금인하 반대, 해고 반대" 등 19개 조건을 내걸고 평양고무직공조합은 파업을 결정했다. 이는 평양지역 전 고무노동자의 총파업으로 발전하게 된다. 파업의 확대는 고무공업에 국한되지 않았고 다른 업종에서도 지원을 받아 평양의 산십제사(山十製絲)공장, 연초공장, 전매국 등에서 지원투쟁을 벌였다. 서울·부산 등지에서도 동정금과 격문이 답지하였다.

사태가 커지자 신간회 평양지회에서는 최윤옥, 평양노동연

맹에서는 김유창을 전권위원으로 뽑아 조정에 나섰고 평양고무직공대회에서는 전권위원 12명을 뽑아 쟁의해결을 위임했다. 한편 파업 노동자들의 투쟁기세가 약화되었다고 생각한 왜경은 스스로 조정에 나서 공장주 측의 타협안보다 불리한 조건으로 승인을 강요했다.

결국 파업 지도부는 왜경의 조정안을 통과시켰고 8월 20일 열린 대회에서 기만적 '협정'에 대한 파업 노동자들의 분노는 폭발하였다. 노동자들은 조정안의 파기를 요구하면서 12명의 전권위원을 불신임하고 노동자 출신의 새로운 투쟁 지도부를 뽑았다. 그러나 새로 구성된 조합 지도부의 지도자인 강덕삼이 검거되고 노동자 대회를 탄압하자 자본가들을 반대하는 투쟁은 왜경과의 직접적인 충돌로 이어졌고 이것이 정치적인 투쟁으로 발전했다.

더욱이 8월 23일 이후 일부 공장주들이 노동자의 요구조건을 전부 승인하고 조업을 시작하려는 기색을 보이자 왜경은 "노동자가 승리해서는 안 된다"고 하면서 공장주에게 승리를 보장해줄 것을 약속하고 강압적 수단으로 노동자의 파업을 탄압했다. 투쟁 지도부는 8월 23일 이후 공장습격, 폭동투쟁으로 전환하였다.

8월 29일까지 공장습격 횟수는 16회, 습격 참가자는 5,000여 명이나 되었으며 8월 26일까지 구속당한 인원은 63명이었다. 공장습격과 폭동투쟁에서 여성노동자들의 활약은 눈부셨다. 8월 23일 300여 명의 노동자가 정창 고무공장을 습격하여 무장

경찰대와 충돌을 일으켜 여성노동자 7명이 검거되었다.

8월 25일에는 남녀별로 결사대를 조직하였고 여성노동자 50여 명은 밤 11시에 세창공장을 습격하였으며, 같은 시간에 남녀노동자 30여 명은 동양 고무공장을 습격했다. 8월 26일에는 여성노동자 300여 명이 대대를 편성하여 평양, 동양, 평안 등의 공장을 습격하여 여성노동자 27명이 구속되었고 많은 여성노동자들이 경찰에 구타당했다.

노동자들이 점차 복직하고 신직공 모집이 늘어나 파업단의 조직적 행동이 어렵게 되자 평양고무직공조합은 9월 4일 파업단의 해체식을 하고자 했으나 금지당하고 자유취업 선언과 함께 200여 명의 해고자를 내고 23일 만에 파업은 막을 내렸다. 평양 고무공장 총파업은 자본가들의 단결과 노동자의 자체분열로 실패했지만 직업별 노동조합의 한계에 대한 인식, 개량주의적 노동조합의 배격, 새로운 조직형태의 모색이라는 당시 노동운동의 일반적 과제를 명확히 보여준 노동운동이었다.

비밀여성단체 송죽회로 투쟁한

김경희

찬 서리 내려야
비로소 푸르름 드러나는
소나무

한바탕 비바람
흩뿌린 뒤에야
쑥쑥 크는
대나무

서로 걸어온 길 달라도
조국 광복 향한
곧은 절개
송죽(松竹) 닮았어라

김경희 (金慶喜, 1888~1919) 애국지사

　김경희 애국지사는 31살의 나이로 숨을 거두며 늙으신 어머니와 동지들에게 "나는 독립을 못 보고 죽으니 후일 독립이 완성되는 날 내 무덤에 독립의 뜻을 전해주시오. 나는 죽어서도 대한독립의 만세를 부르리라."는 유언을 남겼다. 무엇이 그 짧은 삶을 마감하는 순간에도 독립의 끈을 놓지 않게 한 것일까?

　김경희 애국지사는 평양 출신으로 일찍부터 기독교를 받아들인 집안에서 태어났다. 동생 애희가 미국에 유학을 했고 막내 동생이 북경을 거쳐 일본 교토로 유학을 갈 정도로 부모님은 이들 세 자매의 교육에 정성을 쏟았다. 숭의여학교 1회 졸업생인 그는 모교에서 교편을 잡으면서 1913년 25살 무렵 황애덕 등과 함께 비밀결사 단체인 송죽회(松竹會)를 조직하여 항일투쟁을 펼쳤다.

　비밀결사대(秘密決死隊)라는 이름에서 알 수 있듯이 송죽회 회원들은 죽음을 불사하겠다는 결의로 이 조직을 만들어 절대 비밀을 중시하며 활동을 했다. 이들은 애국정신이 확고하고 총명한 학생들을 뽑아 회원으로 삼고 독립운동에 동참시켰는데 처음 4~5명으로 출발한 송죽회는 3·1독립 만세운동까지 계속 활약하면서 수십여 명의 동지를 모아 활동하게 되었다. 그러나 송죽회 결성 3년만인 1916년 김경희 애국지사는 항일 독립운동 혐의로 일제에 의해 학교에서 쫓겨나고 말았다. 그 뒤 전도사로 활동하면서 독립의식을 드높이는데 남다른 노력을 기울였다.

　　그러는 가운데 전국적으로 3·1독립 만세운동이 일어나자 평양에서 기독교회 여성들을 이끌어 만세운동을 펼쳤다. 이 과정에서 왜경의 감시와 추격을 받아 상해로 망명길에 오른다. 상해에서 김경희 애국지사는 대한민국임시정부에 관여했으며 군자금 모집을 위해 1919년 7월에 비밀리에 귀국한 뒤 평양에서 비밀결사 부인회를 조직하고 군자금 모집활동을 폈다. 이 부인회는 회원 규모가 8백여 명에 이를 정도로 조직이 크게 확대되었다.

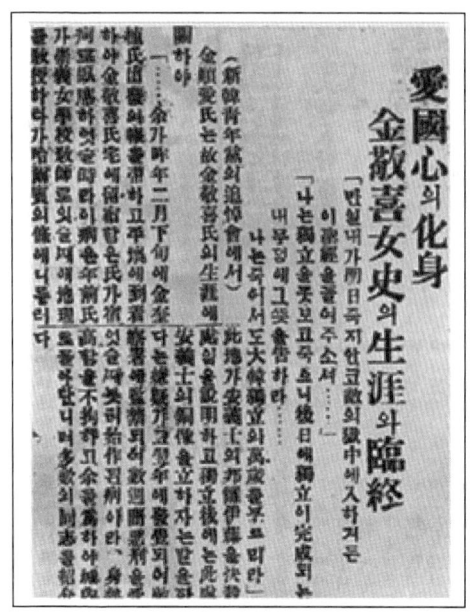

김경희 애국지사의 죽음에
동지 김순애의 추모사 기사 〈독립신문 1920. 2.14〉

김경희 애국지사는 숭의여학교 교사 시절, 공식적으로는 조선의 역사나 독립운동에 대한 이야기가 금기되었지만 수업 시간에 학생들에게 비밀리에 조국의 독립운동을 가르친 것으로 유명하다. 한번은 지리시간에 '만주 하얼빈'이라는 이름이 나오자 1909년 10월 26일 안중근 의사의 이등박문 처단 사실이 떠올라 학생들에게 "우리나라가 독립을 이루면 이곳에 안중근 의사 동상을 세우자."라고 하면서 안 의사의 애국정신을 들려주었다고 한다.

그러나 비밀스럽게 유지되던 그의 독립정신 수업은 왜경에 발각되고 말았고 결국 김경희 애국지사는 경찰서에 끌려가 수 주일간 감금된 채 고문에 시달리다 폐질환을 얻게 된다. 그런 상황에서 상해 임시정부의 지령을 받고 31살의 나이로 평양에서 비밀 여성단체를 만들어 활동을 막 시작하던 무렵 폐질환으로 숨을 거두었으니 가슴 아픈 일이 아닐 수 없다.

정부는 고인의 공훈을 기려 1995년, 건국훈장 애국장을 추서했다.

비밀결사대 송죽회

송죽회(松竹會)는 1913년 평양 숭의여학교 교사 김경희와 황애덕, 졸업생 안정석 등이 주도하여 결성한 항일 비밀결사 조직이다. 송죽회는 푸르른 소나무(松)와 절개를 뜻하는 대나무(竹)를 합한 것으로 민족에 대한 곧은 절개를 실천한 단체였다. 송죽회는 일제강점기 민족운동 조직의 출발점으로 조직형태는 철저한 점조직이었으며, 회원명단도 만들지 않고 이름도 별명을 사용하는 등 비밀유지에 특별히 조심했다. 회원들은 방학을 이용하여 수예, 편물 등으로 자금을 마련, 월회비를 납부케 하여 적립된 자금을 해외 독립운동자금으로 보냈으며 국내에 숨어들어 활동하는 애국지사들에게 필요한 자금으로 제공하기도 하였다.

또한 평양시내 교회부인회와 함께 민족정신과 독립정신을 드높이기 위한 여성 계몽운동을 추진해 갔다. 1916년 이 모임은 지방조직을 만들었는데 대부분 이 학교 졸업생으로 장로교 계통 여학교 교사인 회원을 지방 조직책으로 삼아 확대시켜 나갔다. 조직을 성공리에 이끌어 일제 말기에는 일본·하와이·미국 본토에까지 조직이 확대되었다.

송죽회에 참여했던 김경희 애국지사를 비롯한 교사들과 여학생들은 이후 한국 독립운동 과정에서 중요한 밑거름 구실을 하였다. 이 조직은 1910년대에 존재했던 다수의 비밀결사 조직 가운데 여교사와 여학생들이 중심이 되어 활동했다는 점에서 그 의의를 찾을 수 있다.

▶ ▶ ▶ 더 보 기 2

김경희 애국지사의 동지 '이효덕, 안정석, 김순애'

* 이효덕 애국지사 (李孝德, 1895~1978)

이효덕 애국지사는 평남 용강 출신으로 1919년 3월 1일 당시 평양 양무학교 교사로 있으면서, 밤을 새워가며 태극기를 만들고 학생 200여명과 함께 예배당에서 예배를 드린 뒤 양무학교장의 지도 아래 태극기를 흔들고 독립만세를 부르면서 시내로 행진시위를 이끌었다. 다음날에도 계속해서 독립만세 시위를 벌이다가 왜경에 체포되어 1919년 9월 27일 평양복심법원에서 징역 6월형을 언도받고 옥고를 치렀다. (1992년 대통령표창 추서)

* 안정석 애국지사(安貞錫, 1883~모름)

안정석 애국지사는 평양 출신으로 김경희, 황애덕 등과 함께 여성들의 항일 구국의식을 드높이기 위한 목적으로 비밀결사 송죽회(松竹會)를 조직하였다. 1919년 3·1독립 만세운동이 일어나자 그는 평양에서 만세시위를 준비하던 광성학교, 숭의

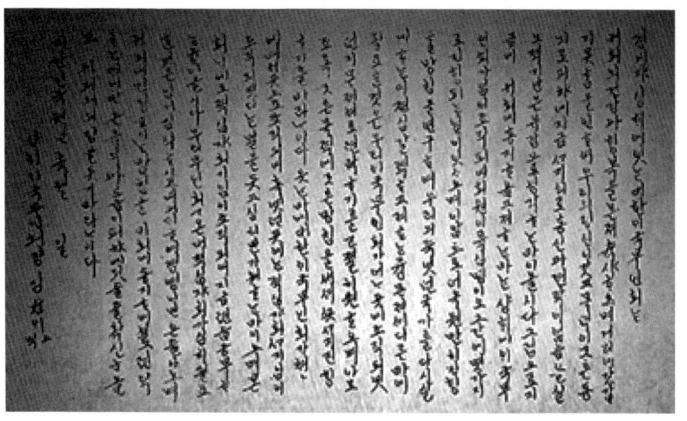
상해애국부인회 발송 문서 회장 김순애

학교 학생들에게 자신의 집을 모의 장소로 제공하고 항일격문
과 태극기를 만드는데 필요한 경비도 부담하였다.

　1919년 11월 감리파와 장로파의 애국부인회가 통합하여 확
대, 조직된 대한애국부인회는 재무부, 교통부, 적십자부의 부
서를 갖추고 평양을 비롯한 서북지역의 부인회 조직을 이 모임
의 지회조직으로 흡수하였다. 대한애국부인회 회장인 안정석
애국지사는 항일독립사상의　드높임과 독립운동자금 모집에
힘써 2천백여 원의 군자금을 모금하여 상해 임시정부에 전달
하는 등 헌신적인 독립운동에 힘쓰다가 왜경에 잡혀 1921년 2
월 평양복심법원에서 징역 2년형을 언도받고 옥고를 치렀다.
(1990년 건국훈장 애족장 추서)

　*김순애 애국지사(金淳愛, 1889~1976)
　김순애 애국지사는 황해도 장연 출신으로 정신여학교를 나

와 부산의 초량소학교에서 교편을 잡고 학생들에게 민족의식을 일깨우는 교육활동에 뛰어 들었다. 그러다 1910년 일제에 나라를 빼앗기자 학생들에게 조선의 역사와 지리를 몰래 가르치다가 왜경의 감시를 받게 되고 탄압이 가중되자 신변의 위협을 느껴 의사로 일하고 있던 오빠 김필순 애국지사와 함께 1912년에 만주 통화현으로 망명하였다.

망명한 중국 땅에서도 김 애국지사는 활발한 독립운동을 쉬지 않고 펼쳤는데 상해로 옮긴 뒤에는 상해지역 부녀자들을 모아 '대한애국부인회(1919년 6월)'를 조직하고 회장에 뽑혀 국내외 여성단체의 연계와 부녀자 계몽, 태극기 제작, 보급 등 애국심 함양에 앞장섰다. 또한, 이듬해 1월에는 한인 동포들의 자치와 친목단체인 '대한인거류민단(大韓人居留民團)'의 간부를 맡아 독립운동을 비밀리에 후원하였다.

1926년 7월에는 안창호 · 엄항섭 · 송병조 등과 함께 임시정부 경제후원회를 만들어 빨래와 바느질 등 온갖 궂은일을 하며 자금을 모아 임시정부에 송금하였다. 또 1930년 8월에는 김두봉의 처 조봉원 등과 함께 상해지역의 젊은 부녀자들을 중심으로 '상해한인여자청년동맹'을 결성하여 좌파 여성운동 세력을 견제하였다.

1940년 임시정부가 중국 국민정부를 따라 중경으로 옮겨가고 여러 계파가 단합하여 통합 한국독립당이 만들어지는 등 중국의 항일전쟁에 발맞춰 임시정부를 비롯한 여러 독립운동 조직들이 재정비되었는데 이때 중경에 있던 각계 한인 여성 50여

명을 임시정부 집무실로 초빙하여 애국부인회 재건대회를 열었다.

1943년 5월에 한국의 신탁통치 문제가 중국 신문에 거론되자 한국독립당과 조선민족혁명당 등 5개 정당 단체의 대표와 함께 '재중국자유한인대회'를 열고 애국부인회 대표자격으로 이 대회에 참가하여 한국의 완전 자주독립, 외국의 공동관리나 보호 반대를 분명히 했다.

또한, 1945년 3월 임시정부 회계검사원 검사위원으로 일하며 임시정부의 재정운영을 맡아 일하다가 감격의 광복을 맞이하였다. 1945년 11월 23일 김구·김규식 등 임시정부 요인들과 함께 귀국한 이래 일제의 탄압으로 폐교된 정신여중고의 재건을 위해 노력하였으며, 1956년에는 정신여중고 재단이사로 취임하는 등 교육발전에 이바지하였다.

김순애 애국지사의 집안은 독립운동가 집안으로 대한애국부인회의 김마리아(1892~1944)는 그의 조카이며, 오라버니 김필순(1878~1919)은 의사로 서간도 지역의 독립운동기지 개척에 힘썼을 뿐 아니라 내몽고 치치하얼에 수십만 평의 땅을 산 다음 이곳에 100여 호의 한인들을 이주시켜 무관학교를 설립하여 독립운동의 후방 기지로 만들었다. 뿐만 아니라 남편 김규식 애국지사(金奎植, 1881~1950)는 대한민국임시정부의 외교무대에서 활약한 독립지사이다. (1977년 건국훈장 독립장 추서)

무등산 소녀의 나라사랑

김금연

빼앗긴 나라를 찾겠노라
무등산 정기 아래
똘똘 뭉친 소녀들

큰 뜻 펼치기도 전
철창 속 갇혀

살점이 떨어져 나가는
극한 고문
견뎌내며

혼백을 앗아가도
광복의 끈
결코 놓지 않던 굳은 각오

빛 찾은 영광
임들이 쓴
고난의 면류관이었네

김금연 (1911~2000) 애국지사

　경남 밀양이 고향인 김금연 애국지사는 1928년 광주여자고
등보통학교 재학시절 비밀결사 조직인 독서회중앙본부 활동에
참여하였고, 1929년 11월에는 교내의 비밀결사조직인 소녀회
를 통하여 광주학생운동에도 적극 참여하였다.

　1926년 11월 광주고보생이었던 장재성이 성진회라는 단체를
만들어 조국의 독립과 사회과학 연구 및 식민지 교육체제의 반

광주소녀회 사건 공판 기사 〈중외일보, 1930. 9.30〉

대를 목적으로 하는 비밀결사체를 운영했다. 장재성은 동경으로 유학을 떠났다가 1929년 6월 동경 중앙대학을 중퇴하고 귀향하여 성진회의 이름을 독서회중앙본부로 바꾸고, 각 학교별로 핵심 지도부를 조직했다. 그는 자신의 모교인 광주고보를 맡고, 광주농업학교는 문승수, 광주사범학교는 임종근, 광주여고보는 자신의 여동생인 장매성을 조직책으로 하는 학교별 독서회를 결성하여 학생들을 조직하고 이론적으로 훈련시켜 항일독립운동을 추진해 나가게 했다.

이에 발맞추어 1928년 11월 초순, 광주여고보에서는 장매성의 주도로 독서회중앙본부의 산하 조직으로 장경례, 박옥련, 남협협, 고순례, 이금자 등과 함께 조국의 독립과 자유 쟁취, 여성 해방을 목적으로 한 항일학생결사 소녀회가 다시 조직되었다.

여기에 김금연 애국지사도 박계남, 박채희, 박현숙, 암성금자, 김귀선 등과 함께 항일 민족정신을 드높이면서 학교 안팎에서 동지를 포섭하는 한편, 매월 한 차례 연구회를 열고 회원들과 함께 학생소비조합을 조직하여 30원을 출자하는 등 항일투쟁을 위한 활동을 폈다.

1929년 11월 3일 김금연 애국지사가 18살 되던 해 광주학생독립운동이 일어나자 소녀회 회원들은 한 손에는 약과 붕대를, 한 손에는 주전자를 들고 남학생들의 가두시위를 도왔다. 이듬해인 1930년 1월 15일 소녀회원인 광주여고보 이광춘이 일제의 식민교육에 대한 반대의사를 표명하기 위해 백지동맹을

나주역에서 일본인 남학생들이 조선인 여학생의 댕기머리를 잡아당긴 것이 발단이 되어
광주학생독립운동이 일어났다. 〈그림 이무성 한국화가〉

단행해야 한다고 연설한 것을 계기로 이에 가담하였다가 왜경
에 잡혀 옥고를 치렀다.

　광주학생독립운동이 일어난 지 열 달이 넘은 1930년 9월 29
일 비밀결사 관련으로는 처음으로 소녀회 관련 11명에 대한 공
판이 광주 지방법원에서 열렸다. 재판부는 여학생들의 인적 사
항을 물어본 뒤 "이번 사건의 사안은 공안을 방해할 염려가 있
으므로 방청을 금지한다."고 선언하여 그나마 허락을 받고 들
어갔던 비밀결사 단원의 가족들과 신문기자들은 재판이 열린
지 5분도 못되어 법정 밖으로 쫓겨나야 했다.

　우여곡절 끝에 끝난 이날 재판은 이른바 치안유지법 위반 등
의 이유로 장매성이 징역 2년을 언도받고 김금연을 비롯한 10

명은 징역 1년에 집행유예 5년을 각각 선고받았다.

정부는 고인의 공훈을 기려 1995년, 건국포장을 수여하였다.

▶▶▶ 더 보 기

광주학생독립운동의 발단이 된
'조선 여학생 머리끄댕이 사건' 과 이광춘 애국지사

"그때는 개찰구 쪽으로 먼저 나가는 쪽이 힘이 세다고 생각하여 한일 간에 서로 먼저 나가려고 했어요. 우리 한국학생들 수는 적었지만 더 야물었지요. 기차 속에서 즈그들 수가 더 많은 게 까불까불해도 한국학생들이 눈을 크게 뜨면 야코가 팩 죽어 말도 못하지라우."

이광춘 애국지사(李光春, 1914~2010)는 잡지 〈예향, 1984년 11월호, 당시 71살〉에서 그렇게 말했다. 1929년 10월 30일 오후 5시 30분. 통학열차에서 내려 개찰구를 빠져나가던 한국인 여학생의 댕기머리를 일본인 남학생이 잡아당기며 희롱했다. 이에 격분한 남학생들이 뛰어들어 한·일 사이에 난투극이 벌어졌다. 3·1독립 만세운동, 6·10 만세운동과 함께 일제 강점기 때 3대 민족운동으로 꼽히는 광주학생운동은 이렇게 시작됐다. 이날 일본인 남학생에게 희롱당한 댕기머리 소녀들은 박기옥,

이광춘, 암성금자였는데 당시 이광춘 애국지사는 광주여고보 (전남여고 전신) 5학년으로 '소녀회'의 핵심 구성원이었다.

또한 광주여고보 2년생인 박기옥의 사촌동생 박준채도 사촌 누나 박기옥의 댕기머리를 잡아당기던 후쿠다를 보고 분개했 다고 다음과 같이 회상했다.

"나는 피가 머리로 역류하는 분노를 느꼈다. 가뜩이나 그놈 들과 같은 차로 통학하면서 민족감정으로 서로 멸시하고 혐오 하여 지내온 터인데, 그자들이 우리 여학생을 희롱하였으니 나 로서는 당연한 감정적인 충격이었다. 더구나 박기옥은 나의 사 촌누님이었으니 나의 분노는 더하였다. 나는 박기옥의 댕기를 잡고 장난을 친 후쿠다(福田)를 개찰구 밖 역전 광장에서 불러 세우고 우선 점잖게 따졌다. "후쿠다, 너는 명색이 중학생인 녀 석이 야비하게 여학생을 희롱해?" 그러자 후쿠다는, "뭐라고 조센징 놈이 까불어"라고 덤볐다. 이 조센징이란 말이 후쿠다 의 입에서 떨어지기가 무섭게 나의 주먹은 그자의 면상으로 날 아가 작렬하였다. 더구나 조센징이란 얼마나 우리 민족을 모욕 하는 말인가. 일인 교사들이나 지각없는 일인들 입에서 불시에 튀어 나오던 이 비칭(卑稱)에 대하여 평소 나는 어린 마음에도 앙심을 품고 있었다."

그러는 가운데 11월 13일 시험 날을 맞았다. 11월 3일 사건 으로 형무소에 구금된 급우들이 있어 이날 백지시험 동맹을 하 기로 약속했으나 시험 당일 서로 눈치만 보는 급우들에게 이광 춘 애국지사는 '어저께 헌 약속 어떻게 된 거냐? 친구들은 감

옥에 있는디 우리만 시험을 볼 것이냐."라고 하면서 시험지를
놔두고 교실을 뛰쳐나오자 이에 동조한 친구들이 삽시간에 뛰
쳐나오고 전교생이 이에 동조해 학교가 발칵 뒤집혔다.

이를 계기로 나주역 댕기머리 사건은 거족적 학생운동으로
번졌는데 전국 194개 학교에서 5만 4,000여 명이 민족 차별과
식민지 노예교육 철폐를 요구했고 만주 · 중국 · 일본의 동포도
호응했다. 이광춘 여사는 이 사건으로 퇴학 처리되었으며 당시
고등계 형사들은 어린 학생들에게 가혹한 고문을 했다. 광주학
생운동의 마지막 증언자 이광춘 여사는 평생 5남 3녀의 자녀들
에게 일제의 민족차별에 맞서 불굴의 정신을 잃지 말라고 가르
쳤다고 술회했다. 나주의 댕기머리 소녀 이광춘 애국지사는
2010년 4월 12일 96살을 일기로 숨을 거두었으며 정부에서는
고인의 공훈을 기려 1996년에 건국포장을 수여하였다.

상해 인성학교서 독립정신 펼친
김윤경

돛단배 몸 기대어
황포강 건널 적에
고이 품었던 꿈

인성학교서
다진 나라 얼

동포들 가슴에
불씨 지펴

이역 땅서
훨훨 타올라
꺼지지 않는 햇불로

조국을 비추었네

김윤경 (金允經, 1911. 6.23~1945.10.10)
애국지사

김윤경 애국지사는 백범 김구 선생과 같은 고향인 황해도 안악(安岳) 출신으로 일찍이 부모와 함께 중국 땅으로 이주하여 어린 시절부터 중국에서 보냈다. 1924년 8월 15일부터는 상해 프랑스조계(租界)에 있는 백범 집에 살면서 임시정부에서 만든 인성(仁成)학교에서 교육을 받았다.

어린 시절부터 독립운동가들의 항일의식과 민족의식을 직, 간접적으로 몸에 익힌 김윤경 애국지사는 열아홉 되던 해인 1930년 8월에 여성들의 독립운동 단체인 상해한인여자청년동

상해 현지 한인 2세 교육을 위해 설립한 인성학교 학생과 교직원

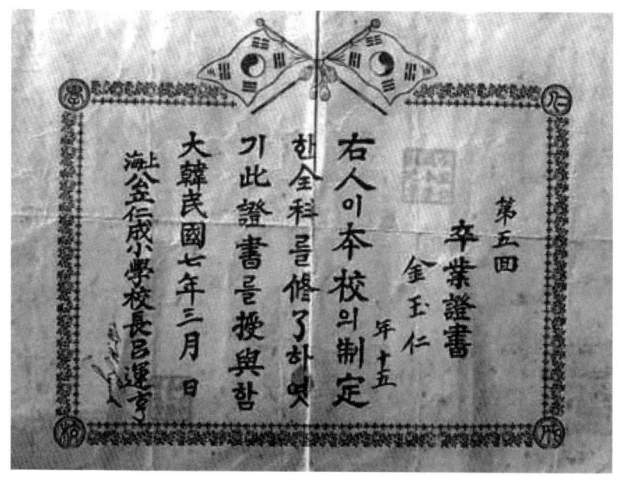

인성학교 졸업증서(제5회 김옥인)

맹 (上海韓人女子靑年同盟)에서 위원장으로 뽑혀 여성 항일운
동의 맨 앞에 서서 임시정부와 긴밀한 연락을 주고받으며 독립
운동을 위한 정보수집에 심혈을 기울였다.

여자청년동맹에서는 일본 관헌들로부터 얻은 정보를 임시정
부에 전달한다거나 또는 임시정부에서 대일(對日) 독립항쟁을
위해 일본 관헌을 교란시킬 필요가 있을 때에는 이들이 적극적
인 활동을 개시하였다.

김윤경 애국지사는 1933년 상해에서 남경으로 거처를 옮겨
이번에는 이곳의 한국국민당(韓國國民黨)의 여성 당원으로 독
립운동의 일선에서 활약하였다. 그러나 일제가 1937년 중ㆍ일
전쟁을 일으키는 바람에 남경이 함락되자 이곳에 기지를 둔 각
종 항일단체는 다른 지역으로 옮겨 가게 되었다.

이 일로 김윤경 애국지사는 동지들과 중경으로 다시 활동지를 옮겨 갔고 중경에서는 한국독립당 산하의 부인회 등에 참여하여 항일운동을 지속하다가 광복을 맞이하였으나 귀국하지 못한 채 1945년 10월 10일 이국땅에서 34살의 나이로 숨을 거두었다.

정부는 고인의 공훈을 기려 1990년, 건국훈장 애족장을 추서하였다.

▶▶▶ 더 보 기

김윤경 애국지사의 발자취를 찾아 상해에 가다

상해의 7월은 서울 보다 무덥다. 지난 16일 상해 마당로에 있는 대한민국임시정부유적지에 들른 날도 찜통 같은 무더위가 계속되고 있었다. 하지만 90여 년 전 이곳을 드나들며 독립운동에 여념이 없던 선열들을 떠올리다 보니 더위쯤은 아무것도 아니었다. 상해 관광을 오던 항주나 인근 지역에 볼일을 보러 오던 임시정부청사 유적지는 이제 한국인들의 필수 코스처럼 되어버렸다. 임시정부청사 유적지야말로 고난에 찬 일제강점기의 역사를 온 몸으로 말해주는 곳이 아니고 무엇이랴 싶었다.

임시정부청사 건물은 낡고 비좁았는데 삐그덕 거리는 청사 계단을 오르며 많은 상념에 젖어본다. 밀랍인형으로 만든 백범 김구 선생이 청사 2층 사무실에서 집무를 보는 모습이 마치 그 때의 상황을 말해주는 것만 같아 몇 번이고 다시 바라다보았다. 어디 백범 김구 선생뿐이겠는가. 이곳을 드나들던 숱한 독립지사들의 이름이 스쳐지나간다. 사실 이번에 상해를 찾은 것은 여성독립운동가 가운데 한분인 김윤경(金允經, 1911. 6.23~1945.10.10) 애국지사의 발자취를 더듬기 위해서였다.

김윤경 애국지사는 백범 김구 선생과 같은 고향인 황해도 안악(安岳) 출신으로 일찍이 부모와 함께 중국 땅으로 이주하여 어린 시절부터 중국에서 보냈다. 1924년 8월 15일부터는 상해 프랑스조계(租界)에 있는 백범 집에 살면서 임시정부에서 만든 인성(仁成)학교에서 교육을 받았다.

김윤경 애국지사를 그리며 상해 대한민국임시정부청사 입구에서

"상해에 있는 우리 인성학교에서는 금년에 제4회 졸업식과 진급식을 지난달 9일에 삼일당에서 거행하였다. 교장 도인권 씨의 사회로 졸업증서, 진급증서, 정근증서 등 상품 외 수여식이 있었고, 학교 직원의 학사 보고와 내빈 가운데 이청천, 김창환 두 분의 축사가 있은 뒤 폐회식을 가졌다. 졸업생 성명은 현보라 정흥순 김영의 김옥인이다." 이는 신한민보 1923년 8월 30일치 인성학교 졸업식 기사이다.

일제의 조선침략으로 1910년 초부터 상해에는 수많은 한국인들이 독립운동을 위해 몰려들었다. 이렇게 상해 거주 한국인들이 늘어나면서 자녀 교육을 위한 학교 설립의 필요성이 생겼

김윤경 애국지사가 다닌 상해 인성학교의 어려움을 호소하는
신한민보 기사 〈1930.7.17〉

고 이에 인성학교가 문을 열게 되었다. 인성학교는 1916년 9월 1일 상해 공공조계 홍구지역(公共租界 虹口) 곤명로 재복리(昆明路 載福里)75호에서 4명의 학생으로 시작하여 1935년 11월 11일 문을 닫을 때까지 명실상부한 한인들의 든든한 교육기관이었다. 인성학교에서는 한인 자녀들의 일반적인 교육뿐 아니라 민족의식을 불어 넣는 독립운동가 양성기관의 역할도 충실히 담당하였다.

실제로 1921년 현재 프랑스조계의 한인 약 700명 가운데 200명 정도가 직업적인 독립운동가였을 정도로 당시 상해에는 많은 독립운동가들이 조국의 독립을 위해 모여들었고 그러다 보니 자녀의 교육문제가 심각해졌다. 인성학교는 이러한 요구를 받아들여 설립한 학교다. 인성학교는 1916년 9월 1일 상해 공공조계에서 '상해한인기독교소학'라는 이름으로 문을 열었는데 처음에는 소학교로 출발하였지만 그 목표는 상해뿐만 아니라 해외 한인들의 가장 완비된 모범교육기관으로서 초등 · 중등 · 전문과정을 교육하는 종합학교를 지향하였다.

인성학교의 교육목표나 내용은 민족교육을 통해 민족정신과 민족역량을 배양하고 자활능력을 양성하여 완전한 민주시민 육성과 신민주국가를 건설하는 데 있었으며 지덕체(德智體)를 바탕으로 한 건전한 육체와 인격을 갖춘 인재 양성을 중시하였으며 '민족혼'과 '독립정신' 교육은 무엇보다도 중요한 교육목표였다.

교과목은 한글, 한국의 역사와 지리 등에 치중하였으며 수업은 한국어로 하고 일본어는 절대로 사용하지 못하도록 금지시켰다. 교과서는 인성학교에서 직접 등사로 밀어 제본한 교본을 사용하였다. 인성학교의 교장을 비롯한 교원들은 대한민국임시정부와 관계있는 독립운동가들로 구성되었으며 선우혁, 여운형, 김태연, 김두봉 등이 교장을 맡으면서 자연스러운 독립운동가를 키우는 학교로 자리매김 되어 나갔다.

1929년 8월 당시 김두봉 교장은 상해를 방문한 한글학자 이윤재와 대화를 나누었는데 이 자료에서 인성학교가 지향하는 목표를 어느 정도 파악할 수 있을 것으로 본다.

〈내가 상해 부두에 내리기는 지난 8월 8일 하오 1시엇다. 마차를 타고 법계(法界)에 들어서 서울로 치면 종로와 가튼 하비로를 거치어 다시 맥새이체라로로 빠저 원창공사(元昌公司)를 차젓다. (중간 줄임) "학교가 창립된 지 10여년에 요만큼이라

까페거리로 변한 당시 프랑스조계지

도 돼가는 것은 순전히 교민들의 힘이지요. 그러고 상해에 거류하는 우리나라 사람들이 천여 명이나 됩니다. 아이들만 해도 수백 명이 되는데 아이들을 중국 사람의 소학교에 보내면 중국의 교육을 밧게 됨으로 모국말을 다 이저버리고 중국말만 하게 됩니다. 이찌 조선 사람의 구실을 할 수 있습니까. 이러한 관계로 해서 더욱이 학교에 힘을 쓰지 아니 할 수 업게 됩니다"〉

인성학교 학생 수는 1916년 개교 당시 4명이었지만 1920년도 신학기에는 학급수가 4개로 늘어나고 유치원급이 증설되면서 학생 수는 30명으로 늘어났다. 1920년대 후반 이후에는 매년 50~70명 선의 학생 수를 유지할 정도였다. 그러나 인성학교의 재정 사정은 넉넉지 않았다. 이를 입증하는 기사가 신한민보 1930년 7월 17일치에 '상해 인성학교를 도와주소서' 라는 제목으로 실려 있는 것으로도 그 어려움을 짐작할 수 있다.

푹푹 찌는 무더위 속에서 임시정부 청사 유적지를 나와 지척에 있는 프랑스조계지로 발걸음을 옮겨보았다. 지금은 카페거리라고 해도 좋을 만큼 커피숍과 맥주집이 즐비한 이곳이 100년 전에는 조국 독립을 위한 한인들의 발걸음이 끊이지 않았던 곳이라니 새삼 내딛는 발걸음 그 어느 한곳도 예사로 지나칠 수 없다. 숱한 한인들 속에서 유달리 사명감과 나라사랑 정신이 강했을 김윤경 애국지사의 모습을 그리며 임시정부청사와 프랑스조계지를 서성이는데 어디선가 매미소리가 힘차게 들려왔다. 〈이 글은 2016년 7월 18일 〈신한국문화신문〉에 실린 기사임〉

조선 여공의 횃불
박재복

미쓰이 대재벌 공장서
어리디 어린 소녀들

노동력 착취로
시름에 겨워할 때

처진 어깨 다독이며
일본의 패망을 알려줘
푸른 꿈 갖게 한 이여

임의 저항으로
소녀들 권리 찾고

임의 위로로
삶의 희망 얻었으니

임은
조선 여공의 횃불이어라

박재복 (朴在福, 1918.1.28~1998.7.18)
애국지사

박재복 애국지사는 가난한 집안에서 태어나 군시제사주식회사(郡是製絲株式會社) 대전공장에서 일하며, 동료들에게 항일의식을 심어주는 데 앞장섰던 인물이다. 군시 공장은 일본 대재벌 미쓰이(三井) 계열의 회사로 이들의 식민수탈이 가혹하여 이곳에서 일하던 여공들을 중심으로 1929년 4월과 1932년 11월에 동맹파업이 일어났다.

1938년 10월 박재복 애국지사는 대전 군시 공장의 여공으로

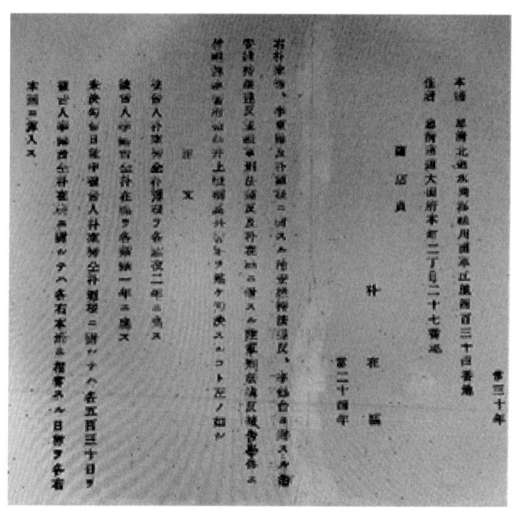

육군형법위반 죄로 금고 1년을 선고받은 박재복 애국지사 판결문

일하면서 동료들에게 "일본은 현재 (중일)전쟁에 승리하고 있지만 돈이 적기 때문에 불리하며, 지나(支那, 중국)와 러시아는 돈이 많고 또 자동차, 비행기도 일본에 비해 많기 때문에 장기간에 이르면 물자가 부족하여 일본은 패전한다."는 등의 말로 동료들에게 일본 패망론을 유포하는 데 앞장섰다.

조선인에 대한 경계가 삼엄하던 시절 '일본 패망론'을 말한다는 것은 매우 위험한 일임에도 박재복 애국지사는 동료들에게 일본은 중일전쟁에서 반드시 패한다는 말을 유포함으로써 조선의 독립을 암시하고 동료들에게 희망의 씨앗을 심어주었다. 그러나 이러한 '일본 패망론'의 퍼뜨린 죄로 박재복 애국지사는 왜경에게 체포되었으며 이 일로 1941년 10월 29일 전주지방법원에서 육군형법 위반으로 금고 1년을 선고받았다.

정부는 고인의 공훈을 기려 2006년, 건국훈장 애족장을 추서하였다.

▶ ▶ ▶ 더 보 기

일제강점기 제사(製絲)공장과 여공들의 잔혹사

"요와 이불은 벼룩과 빈대로 절어 있었으면서도 회사에서는 이불 소독 값을 공제했습니다. 가장 서글픈 것은 늘 배가 고팠

다는 사실입니다. 식당 배식구에서 조선인 차별을 몸소 겪을 때는 정말 죽고 싶었지요. 배식구 앞에서는 먼저 조선인 여공인지 일본인 여공인지를 파악하는 데 생선 토막이라도 나오는 날에는 영락없이 일본인 여공에게는 몸통을 주고 조선인 여공에게는 머리나 꼬리 부분을 주었습니다." 이는 1930년대 일본에 여공으로 팔려간 어린 조선 여공들의 실상을 고발한 책《조선인여공의 노래(朝鮮人女工のうた)》에 나오는 나이어린 여공들의 증언 내용이다.

이 책을 쓴 사람은 재일동포 2세인 김찬정(金贊汀)선생으로 책 내용은 1930년 기시와다 방적공장쟁의(岸和田紡績爭議) 때 조선여공들의 실상을 적나라하게 고발한 책이다. 필자는 이 책을 동경의 눅진 하숙방에서 읽고 가슴앓이를 했던 적이 있다. 당시 나라를 빼앗긴 조국에서 꼬임에 빠져 일본의 방적공장으로 떠난 대다수의 조선인 여공들은 하루 13시간 이상의 열악한 방적공장의 고달픈 작업이 기다리고 있는 줄을 몰랐다.

더구나 쥐꼬리만 한 월급에서 일본으로 건너 갈 때의 뱃삯과 빈대 투성이의 이불 소독 값, 영양실조에 걸리기 딱 좋을 부실한 식단의 밥값, 혼자 눕기도 어려운 공간의 방세 등등 온갖 명목의 세금으로 빼가고 나면 정작 손에 들어오는 것은 빈 월급 봉투뿐이었으며 일을 하면 할수록 빚만 늘어나는 현실에 조신여공들은 절망하여 자살자가 속출했다. 이러한 상황은 노동력을 기반으로 꾸려가는 국내의 방적공장이나 제사(製絲)공장도 마찬가지였다고 봐야 할 것이다.

일본의 대재벌들이 한국 땅에 들어와 공장을 세운 것은 제1차 세계대전을 전후한 시기부터였다. 닛산계(日產系)인 일본광업주식회사(日本鑛業株式會社)가 1915년에 진남포에 진남포제련소(鎭南浦製鍊所) 건설을 시작으로 1919년 미쓰이계(三井系)의 시멘트회사인 고노다세멘트주식회사(小野田세멘트株式會社) 평양공장, 이

방적공장의 조선여공
오사카아사히신문(大阪朝日新聞) 〈1913.12.26〉

어서 같은 미쓰이계(三井系)의 군시제사주식회사(郡是製絲株式會社)가 1920년에 충주에 공장을 세웠으며 조선방적주식회사가 부산에 들어서는 등 일제는 식민지 경영 아래서의 착취를 위한 수단으로 조선 내 공장 건설에 열을 올렸다.

특히 일본의 제사업(製絲業)은 청일전쟁 후인 1909년에 생사(生絲) 수출량 세계 제일을 기점으로 일본 각지에 크고 작은 제사(製絲)공장을 세움과 동시에 값싼 노동력 확보를 위해 조선에 진출하기 시작하여 1917년 이후 대구에 산십제사(山十製

絲), 조선생사회사(朝鮮生絲會社), 편창제사(片倉製絲) 등의 제사공장이 들어서게 되었고 대전의 공장도 이 무렵 세워졌다.

제사공장의 노동자들은 대체로 12~15살의 어린 여성들로 이들은 공장자본가로부터 하루 13시간의 고된 노동 강요와 저임금뿐 아니라 열악한 노동조건과 상황에서 비인격적 대우를 받으며 비참한 여공생활을 이어가야 했다. 그러나 이러한 열악한 조건에서도 조선의 여공들은 야학 등을 통해 문맹을 퇴치하면서부터 일제의 노동력 착취에 대한 인식을 하게 되었으며 이를 항의하고 타파하기 위해 공장을 박차고 거리로 나와 파업을 일으키게 된다.

스물두 살의 나이로 노동자의 권리와 독립운동을 하다 순국한 고수복 (高壽福, 1911~ 1933.7.28) 애국지사도 1931년 9월 종방방직회사(鐘紡紡織會社) 경성제사공장(京城製絲工場) 직공으로 일하면서 노동자 파업에 앞장선 인물이다.

박재복 애국지사는 여공들의 권익을 위해 파업을 주도하였으며 이들의 활동은 단순한 노동자의 권익만을 주장한 것이 아니라 그 바탕에는 조선인 차별과 조선 침략에 대한 부당성을 지적하고 더 나아가 독립운동으로 그 활동의 폭을 넓혔다는 데 그 의의가 있다.

핏덩이 남겨두고 독립의 깃발 높이든

박치은

대동강물 흐르는 비옥한 땅
일제 침략 없었다면
구김살 없이 살아갈 터전
등지고

빼앗긴 나라 되찾고자
갓 태어난 핏덩이
남겨두고 뛰어든
험난한 가시밭길

어미 품 그리며
유치장 밖서
숨져간 어린 딸

하늘이여
두 모녀 가는 길
무궁화 꽃 뿌려주소서

박치은 (朴致恩, 1886.6.17~1954.12.4)
애국지사

"네년의 남편이 곽치문이지?"

"그렇다."

"네 남편은 권총을 차고 다니며 왜경을 마구 쏘아 죽이는 악질분자다. 고얀 것들! 부부가 모두 독립운동을 하는 강도들, 너희가 그런다고 독립이 될 줄 아냐? 이년은 악질이니까 옷을 벗기고 쳐야해."

박치은 애국지사를 취조하던 왜경은 옷을 모두 벗기면서 "그

갓난아기에게 젖을 먹이게 해달라고 울부짖는 박치은 애국지사
〈그림 이무성 한국화가〉

나체 좀 구경하자."며 실신하도록 팼다. 거의 초죽음 상태에서 박치은 애국지사는 정신이 번쩍 들었다. 갓 태어나 이제 한 달밖에 안 된 어린 생명이 떠오른 것이었다. "아기에게 젖을 주어야 하니 아기를 이리로 들여보내주시오." 박치은 애국지사는 유치장 밖에서 자지러지게 울고 있는 아기를 떠 올리며 그렇게 애원했다. 왜경은 이내 "못된 짓만 하고 돌아다니는 년이 새끼 귀한 줄은 아느냐?"며 아기의 면회를 시켜주지 않았다.

유치장 창살 너머에서는 아기 울음소리가 들려왔지만 왜경은 끝내 이들 모녀의 면회를 시켜 주지 않았다. 아기를 안고 온 친척은 삼일동안 유치장 밖에서 애걸복걸 해보았지만 왜경은 이들의 면회를 허락지 않아 끝내 아기는 숨을 거두고 말았다. 참으로 악랄한 인간들이었다.

대동경찰서에 갇혀 있던 박치은 지사는 평양검사국으로 송치되었다. 죄명은 불온단체인 대한독립부인청년단을 결성하여 독립운동을 한 죄였다. 박치은 지사는 재판과정에서 자신이 심한 고문을 받았다고 주장하면서 고문 흔적을 보이기 위해 재판장 앞에서 옷을 벗으려했다. 그러자 재판장은 이를 제지했다.

박치은 애국지사는 큰소리로 외쳤다 "내 어린 핏덩어리는 경찰서 유치장에서 죽었고 나 자신은 인사불성이 되도록 나체 상태로 매질을 당했다. 경찰이 내 자식을 죽였으니 그 죄가 더 크냐? 내가 독립운동을 한 죄가 크냐?"고 분한 마음에 목청을 높였다. 법정 안은 쥐 죽은 듯이 고요했다.

이날 박치은 애국지사의 평양지방법원 판결 기사는 1922년 동아일보에 "산모를 나체로 심문, 어미가 정신없이 매 맞는 중에 아기는 경찰서 문 앞에서 죽어"라는 제목으로 보도되었다.

평남 대동(大同) 출신인 박치은 애국지사는 1919년 8월 추도일·강희성 등 10여명의 동지들과 함께 대한독립부인청년단(大韓獨立婦人靑年團)을 조직하고 부단장을 맡아 주도적으로 활동하였다.

기독교인을 중심으로 조직된 이 단체는 이후 독립운동자금의 모집과 독립투사들에 대한 편의제공, 투옥지사와 가족들의 후원활동을 폈다. 또한 박치은 애국지사는 1919년 8월 무렵 김봉규·곽치문·나진강·김국홍 등과 함께 국민향촌회(國民鄕村會)를 조직하였으나 회원들이 잡히자 다시 같은 해 11월 대한독립대동청년단(大韓獨立大同靑年團)을 조직하였다.

이 단체는 중국 관전현(寬甸縣)에서 활동 중이던 대한독립광복군사령부(大韓獨立光復軍司令部)와 연계하여 권총을 입수한 뒤 대동군의 자산가들을 대상으로 군자금 모집활동을 폈는데 이 단체에서 박치은 지사는 무기와 군자금의 보관을 담당하였다.

그러는 과정에서 1921년 5월 왜경에 잡혀 1922년 4월 평양복심법원에서 징역 2년형을 언도받고 옥고를 치렀던 것이다. 당시 법정에는 열세 살 난 딸도 나와 어머니의 공판을 지켜보았는데 쇠고랑을 찬 어머니가 간수의 손에 이끌러 나가는 모습을 보며 눈물을 흘렸고 이내 법정 안은 눈물바다를 이뤘다고 한다.

부모가 모두 옥살이를 하는 동안 열세 살에서 일곱 살에 이르는 어린 4형제는 고아 아닌 고아가 되어 지내야 했다. 일가친척이 돌본다 해도 어렵기는 마찬가지인지라 부모가 옥중에 있는 동안 어린 두 자매는 병사하여 숨지고 겨우 큰딸과 막내만이 살아남아 부모님의 출옥을 기다렸으니 이런 비극이 또 어디 있겠는가.

박치은 애국지사는 2년의 형기를 마치고 출소하여 그리던 두 딸과 재회했지만 남편은 징역 5년 형을 받아 아직 옥중 구속 상태였다. 그는 출소 뒤 어린 자매를 데리고 살기 위해 닥치는 대로 일을 했으며 그러던 중 작은 식당을 꾸려 그런대로 안정을 되찾게 되자 출소한 독립운동가 동지들을 거두기 시작했다.

그러나 남편 곽치문 애국지사는 고문 후유증으로 가출옥 상태에서 끝내 숨을 거두고 말았으니 원통한 노릇이었다.

정부는 고인의 공훈을 기려 1990년, 건국훈장 애족장을 추서하였다

독립운동에 앞장선 남편 곽치문 애국지사

"곽치문(郭致文, 1882~1922)애국지사는 나진강 동지와 함께 상해에서 가져온 독립신문과 〈신한청년〉 책, 그리고 선유봉에서 만든 문서 등을 동지들로부터 받아 단원들에게 전달하기 위해 대동군 청룡면 이목리 입구에 이르렀는데 날이 어둑어둑 저물고 있었다. 그들이 언덕길을 내려와 개천물이 흐르는 냇물을 막 건넜을 때였다.

저쪽에서 저전거를 탄 사내가 이쪽으로 달려오고 있었는데 몸에 찬 긴 칼이 자전거에 부딪혀 데거덕데거덕 거렸다. 순간 일본 순사라는 직감이 들었다. 곧바로 사내가 곽 지사에게 말을 걸었다. "누구냐?" 곽 지사가 바로 요 앞 동네 사람이라고 답을 했다.

『대한독립대동청년단사건,
곽치문 선생과 박치은 여사 열전』

그러자 경찰관은 "들고 있는 것이 무엇이냐"라고 재차 물었다. 아이쿠 싶었으나 이내 "도배하려고 신문지를 구해 오는 길"이라고 대답했다. 그러나 순사는 막무가내로 보따리를 풀어보라고 했다.

곽 지사와 나진강 동지는 탄로 날 것이 두려워 순사가 자전거에서 내려 보따리를 풀어보려고 몸을 낮추자 덮쳐버렸다.

그러나 순사는 무술을 익혔는지 이내 곽 지사를 내동댕이치고 나진강 동지도 번쩍 들어 냅다 내리쳤다. 그리고는 허리에 찬칼을 빼어드는 찰나에 곽 지사는 혼신을 다해 순사의 가슴을 발로 찼다. 사내가 나가떨어지자 손에 들었던 칼을 빼앗고 흠씬 죽을 만큼 팬 뒤 달아났다."

이는 《대한독립대동청년단사건, 곽치문 선생과 박치은 여사 열전》에 나오는 이야기다. 곽치문 선생은 박치은 여사의 남편으로 이들은 부부 독립투사이다.

곽치문 지사는 평남 대동 임원 출신이다. 1919년 8월 중순 만주 관전현(寬甸縣) 소재 대한독립광복군(大韓獨立光復軍) 사령관 이탁(1898~1967)의 밀명을 받고 광복군 국내 지부를 설치하기 위하여 파견된 김봉규의 권유에 국민향촌회(國民鄕村會)를 조직하였다. 조직원으로 광복군교통원(光復軍交通員), 청년단통신원(靑年團通信員)과 함께 제1대원이 되어 군자금 모집, 격문 배포 등 항일활동에 주력하였다.

또한 권총 등 무기를 구입하여 무장활동을 준비하던 중 임원면 청호리에서 김국홍, 나진강 등과 함께 1921년 5월 무렵 왜경에게 체포되었다. 같은 해 9월 15일 평양지방법원에서 재판 중 고문의 여독으로 법정에서 쓰러져 재판이 중단되었다가, 결국 징역 1년형을 받았으며, 1922년 4월 6일 형이 확정되어 옥고를 치르던 중 감옥에서 순국하였다.

정부는 고인의 공훈을 기려 1991년, 건국훈장 애국장을 추서
하였다.

여문 손끝으로 군자금 모은

백신영

나라 없는 설움
뼈 속에 사무쳐
애국부인들 똘똘 뭉쳤다

여문 손끝으로
한 땀 한 땀 수놓은 수예품
독립의 디딤돌이라

총칼은 들지 않았어도
마음 속 벼린
항일의 투지
용광로 쇳물도 녹였어라

백신영 (白信永, 1889.7.8~모름)

백신영 애국지사는 부산 출신으로 기독교 전도사로 있던 1919년, 비밀결사 조직인 대한민국애국부인회(大韓民國愛國婦人會)에 가입하여 항일독립운동을 폈다. 대한민국애국부인회는 1919년 3~4월 오현주·오현관·이정숙 등이 주도·조직한 혈성단애국부인회(血誠團愛國婦人會)와 최숙자·김원경·김희열·김희옥 등이 중심이 된 대조선독립애국부인회(大朝鮮獨立愛國婦人會)가 합쳐져 1919년 10월 19일 김마리아 사무실에서 새로 탄생한 조직이다.

이들은 주로 정신여학교 출신들로 이날 오전 10시부터 오후 5시까지 7시간에 걸친 비밀회의 끝에 대한민국애국부인회라는

대한민국애국부인회 사건으로 옥고를 치른 독립운동가
1.김영순 2.황애덕 3.이혜경 4.신의경 5.장선희 6.이정숙 7.백신영 8.김마리아 9.유인경

이름으로 새 출발을 하게 되었다. 회장단의 면모를 보면 회장 김마리아, 부회장 이혜경, 총무 황에스터, 서기 신의경·김영순, 교제원 오현관, 적십자장 이정숙·윤진수, 결사장 이성완·백신영, 재무원 장선회 등이다.

새로 탄생한 애국부인회는 독립투쟁에 여성들을 적극적으로 참여하도록 한다는 점에서 종전의 애국부인회와 차별성을 두었다. 적십자부와 결사부(決死部)가 새로 생긴 부서이며 백신영 지사는 결사부 소속이었다. 이들은 상해 임시정부 수립이후 국내의 독립운동은 평화적인 만세시위만으로는 독립 쟁취가 어렵다고 판단하여 일본과 독립전쟁을 해야 한다는 전략을 세웠다.

적십자부와 결사부서를 만든 것은 회장 김마리아의 당시 정세 파악에 의한 것이었다. 이는 애국부인회가 독립운동의 보조적인 성격을 벗어나 남자와 동등한 활동을 수행하겠다는 의지를 보인 것이다. 이 단체는 이후 기독교회, 학교, 병원 등을 이용하여 조직을 전국적으로 확대하면서 회원들의 회비와 독립운동자금 모집에 힘써 6천원의 군자금을 임시정부에 송금하였다.

또한 이 모임은 본부와 지부를 통해 임시정부 국내 연통부(聯通府)와 대한적십자회(大韓赤十字會) 대한총지부(大韓總支部)의 활동을 대행하였는데 이 과정에서 백신영 지사는 동지들과 1919년 11월 왜경에 체포되어 1920년 12월 대구복심법원에서 징역 1년형을 언도받고 옥고를 치르다가 병을 얻어 풀려났다.

　정부는 고인의 공훈을 기려 1990년, 건국훈장 애족장을 수여하였다.

▶▶▶ 더 보 기

국내 항일여성 단체는?

　1919년 3월 1일 온 나라 사람들이 일제 침략에 항거한 3·1 독립 만세운동의 결과로 수립된 상해 임시정부를 지원하기 위하여 국내외에는 많은 항일구국단체들이 조직, 활동하게 되었다. 그 가운데 부녀들에 의하여 조직, 활동된 단체도 적지 않았다.

　가장 대표적인 것이 서울 중심의 대한민국애국부인회와 평양 중심의 대한애국부인회 등이다. 그 밖에도 평남 강서의 반석대한애국여자청년단, 평남 순천의 대한국민회부인향촌회, 평남 안주의 부인관찰단, 평남 대동군의 대한독립부인청년단, 평남 개천군의 여자복음회, 평양 숭의여학교 졸업생으로 조직된 결백단 등이 있었다. 이들 항일 구국여성단체들은 남자들이 조직한 항일단체들과 연결되기도 하고, 또한 독립전쟁이 필연코 일어날 것이므로 그 때 나이팅게일과 같은 간호 역할을 하고자 한 결백단과 같은 독립전쟁 준비·참여단체들도 있었다.

　한국여성계를 대표하는 항일여성단체들의 활동은 일제의 조
직적인 검거에 의해 수많은 활동가들이 체포·구금되어 그 조
직들이 와해되는 지경에 이르렀다. 그러나 민주·평등에 기초
한 여성들의 조국광복에 대한 투철한 정신은 그 뒤로도 여러
형태로 이어져 나갔다. 특히 여학생들의 항일구국운동에 대한
참여정신은 일제의 비인도적인 무자비한 탄압을 스스로 극복
하기 위한 노력으로 더욱 투철하였다.

비바리의 함성을 이끈
부덕량

비바리 거친
숨비소리 참아 내며
건져 올린 꿈

산산이 박살낸 자들
더는 두고 볼 수 없어

세화리 장터서 터진
탐라의 함성

광복의 그 순간까지
한발도 물러서지 않던

비바리의 투지
하늘과 땅은 알리라

부덕량(夫德良, 1911.11. 5~1939.10.4)
애국지사

부덕량 애국지사는 해녀로 순박한 꿈을 꾸며 살던 선량한 처녀였다. 그러나 힘겹게 바다에서 캐어 올린 해산물을 번번이 일제 앞잡이들에게 착취당하자 부춘화 지사를 포함한 해녀들은 이의 부당함을 깨닫고 1932년 1월 7일과 12일 제주도 구좌면에서 제주도해녀조합의 침탈행위를 규탄하는 시위를 벌였는데 이때 부덕량 지사가 앞장섰다.

당시 제주에는 해녀어업조합의 모체인 제주어업조합이 1912

제주해녀의 비참한 생활 기사 〈동아일보 1924.4.28〉

년 2월 설립되어 있었다. 이들은 어업조합규칙에 의거해 조직된 어업조합으로 제주도 일원을 관할구역으로 하고 이 지역에 사는 해녀와 어선을 가지고 있는 어부들이 그 구성원이 되었다. 제주 도청구내에 사무실을 둔 제주어업조합은 그 확장과 관리를 위하여 각 면에 지부를 설치하는 한편 외부에 출어하는 조합원을 감독하고 보호하기 위하여 각 면에 부산, 목포, 여수 등지에 출장소를 설치하기에 이르렀다. 그러나 이것은 명목일 뿐 해녀들을 수탈하기 위한 하나의 조직에 불과했다.

"교활한 객주와 일본인은 어떻게나 잘 구슬려 말하는지 실제로는 100근인 것을 90근으로 세는 관행을 만들고 그 외에도 상대방의 눈을 감쪽같이 속이기 때문에 해녀의 수입이 되는 것은 100근 중에서 70근도 되지 않았다." -동아일보 1920.4.22-

상황이 이렇게 전개되자 해녀들은 자생적으로 해녀회를 조직하고 부당한 해녀어업조합에 맞서 나갔다. 관제 해녀어업조합은 1936년 일반 어업조합과 병합될 때까지 해녀들의 풍기개선 권익옹호 해조류의 번식보호에 이바지한 바가 없지 않았으나 문제는 수탈당하기만 하는 해녀들을 적극 옹호했어야 할 조합장을 도(지)사가 겸임한다는 데 있었다.

그러기에 해녀의 권익은 일체 묵살 당했고 목숨을 걸고 채취한 해산물은 공동판매 해야 함에도 특정 일본 상인이 독점하도록 했으며 조합과 결탁한 갖은 명목의 잡세 징수 등으로 영세 해녀들을 괴롭혔다. 이들의 적절치 못한 비행에 대해 해녀 대표자들은 수차에 걸쳐 구두로 주재원들에게 부당성을 지적하며 시정을 건의하였다. 그러나 시정은커녕 그 수탈상은 더욱 가중되어가고 있었다.

이러한 문제를 해결코자 1932년 1월 7일과 12일 구좌면 세화 장터에서는 1천여 명의 해녀들이 세화주재소의 저지를 뚫고 호미와 빗창을 들고 시위를 벌이다 검거되었다. 검거된 해녀 가운데 부춘화, 김옥련, 부덕량 3명을 제외하고는 3월 3일 모두 석방되었지만 이들 3명은 배후조종을 캐낸다는 명분으로 1달 이상 집중 고문을 당하다가 6개월 뒤에 풀려났다. 부덕량 지사는 21살 때 받은 고문 후유증으로 28살의 젊디젊은 나이로 삶을 마감하였다.

정부는 고인의 공훈을 기려 2005년, 건국포장을 추서하였다.

▶ ▶ ▶ 더 보 기

제주 구좌읍 해녀 부덕량 애국지사 무덤을 찾아서

구좌리 문주란 자생지인 토끼섬 앞 건너편에 잠들어 있는 해녀 출신 부덕량 애국지사 무덤을 찾아가는 날은 잔뜩 구름 낀 흐린 날씨였다. 2015년 8월 23일, 하늘은 금방이라도 비가 퍼부을 듯한 날씨 속에서 렌터카의 길찾개(내비)는 구좌읍 하도리 425번지에 도착했다는 안내방송을 마지막으로 멈추었다.

그러나 사방을 둘러봐도 무덤이 있을 만한 곳이 눈에 띄지 않았다. 근처에 가면 '애국지사무덤'이라는 안내판이 있겠지 한 것은 오산이었다. 토끼섬 맞은 편 해안가 2차선 도로는 차를 세울 곳도 없어 가까스로 깜빡이를 켜서 도로변에 세워놓고 사방을 샅샅이 뒤지기로 했다.

대관절 부덕량 애국지사 무덤은 어디에 있다는 것일까? 개미새끼 한 마리 얼씬 하지 않는 해안가 도로는 적막감에 쌓여 있을 뿐 드물게 관광객의 렌터카만이 드라이브를 즐길 뿐이라 딱히 어디다 물어 볼 상황도 못되었다.

부덕량 애국지사 무덤을 찾을 수 있는 유일한 기준은 그 옛날 어떤 이가 문주란 자생지에 토끼를 풀어 놓아 토끼섬이라고 불리었다는 섬을 기준으로 찾아 볼 수밖에 없었다. 저 멀리 토

풀밭인지 무덤인지 구분이 안가는 제주 부덕량 지사 무덤은 찾기도 어려웠다.
(2015.8.23 글쓴이)

끼섬을 기준으로 다시 해안가 언덕을 살피니 나지막한 풀 동산이 보였다. 혹시 저곳에? 싶어 풀숲을 걸어 올라가니 거기에 하얀 돌비석 머리가 조그맣게 보인다. 거기였다.

무덤에 이르는 길은 풀이 한자나 자라있었고 최근에는 다녀간 사람이 없는 듯 무덤의 비석에는 커다란 거미가 집을 짓고 혼자 애국지사 무덤을 지키고 있었다. 아! 여기가 스물 한 살꽃다운 나이에 제주해녀독립운동사에 획을 그었던 부덕량 지사의 무덤이런가! 가슴이 뭉클했다.

부덕량 애국지사는 고문 후유증으로 스물여덟 나이로 생을 마감한다. 일제의 모진 고문 후유증은 생각보다 치명적이었다. 수원의 잔다르크 이선경 애국지사는 모진 고문 끝에 19살의 나이로 순국했고, 서대문형무소에서 갖은 고초를 겪던 고수복 애국지사 역시 고문 후유증을 이겨내지 못하고 22살의 나이로 순국하는 등 독립운동사에서 옥사한 분 말고 고문으로 순국한 분들은 이루 헤아릴 수 없이 많다. 얼마나 고통스럽게 죽어 갔을까? 변변한 약이나 치료도 받을 수 없던 시절이 아니던가!

"나는 1931년 5월 일본 식민지 정책 하에서 제주도 해녀조합(당시는 제주도지사가 조합장 일을 장악하고 겸임)의 운영이라는 미명으로 해녀들이 어렵게 채취한 해산물을 일본인 주재원으로 하여금 일괄 수납시켜 부당하게 착취하는 것을 목격하였다.

우리는 일본인들의 강제적 침탈 행위의 중단을 수차 건의하였으나 시정되지 않자 구좌면 해녀 회원들이 단결할 것을 호소하며 직접 진정서(9개 항의 요구사항)를 작성하고 항일 투쟁을 전개하기 시작하였다. 1932년 1월 7일 제주도사가 제주도 내 순시차 구좌면 세화리를 경유 한다는 정보를 입수했다.

당시 해녀회장인 나는 동료 김옥련, 부덕량에게 조직적으로 연락하여 구좌면 세화리를 중심으로 한 이웃 자연부락별로 조직된 해녀 1천여 명을 소집시켜 해녀복과 해녀작업 차림으로 무장케 하여 때마침 세화리 시장(경찰 주재소 부근)을 지나가는 도사(도지사)의 행차를 가로막고 해녀의 권익옹호와 주권회복을 요구하며 해녀노래를 합창하면서 대대적인 시위를 했는데 이때 제주도사는 혼비백산하여 피신 도주하게 되었다."

이는 부덕량 애국지사와 함께 제주해녀독립투쟁에 앞장섰던 당시 부녀회장 부춘화 애국지사의 증언이다. 부덕량 지사는 제주해녀항일운동을 주도했던 부춘화 (1908~1995), 김옥련 (1907~2005) 지사와 함께 제주항일해녀독립운동사에 빼놓을 수 없는 세분 가운데 한분이다. 이들은 혁우동맹 산하 하도강습소 1기 졸업생들로 야학을 통해 민족의식을 고취하게 되었고 당시 청년 민족운동가들과 합세하여 제주해녀항일운동이 한국독립운동사에 커다란 자리매김을 하게 된 계기를 만들었다.

1932년 1월 7일과 12일 제주도 구좌면에서 제주도해녀조합의 부당한 침탈행위를 규탄하는 대규모 시위현장에서 부덕량 애국지사는 몸을 사리지 않고 앞장섰다. 험난한 파도와 싸우며

채취한 해산물을 일제에 빌붙어 착취하는 어용 해녀조합을 용인할 수 없었던 것이다. 이러한 해녀들의 자발적인 행동은 구좌면 세화장터에서 폭발했다. 1천여 명의 해녀들은 세화주재소의 저지를 뚫고 호미와 빗창을 들고 시위를 벌였다. 또한 1월 24일 왜경이 제주도 출신 민족운동가들을 체포하려는 것을 온몸으로 맞서 저지하였다.

그러나 그 결과는 참담했다. 일제는 해녀항일운동의 확산을 조기에 차단하려고 목포 응원경찰대까지 동원하여 1932년 1월 26일 사건 연루자 100여 명을 검거하였다. 주동자인 부덕량 지사도 이때 잡혀 들어가 6개월간의 쓰라린 옥고를 치러야 했다. 이후 부덕량 애국지사는 고문 후유증으로 조국의 광복을 보지 못하고 스물여덟의 나이로 1938년 숨을 거둔다.

현재 구좌읍 하도리 문주란섬 맞은편에 있는 부덕량 무덤의 묘비는 당시 북제주군이 예산을 지원하여 2006년 4월 4일 이 자리에 세운 것이다. 그러나 무덤을 찾아 갔을 때는 안내표지판도 없을뿐더러 언제 풀을 깎았는지 풀이 사람 키만큼 자라고 있는 등 전혀 관리가 안 되고 방치되어 있었다. 말로는 독립운동가의 위대한 독립정신을 기려야 한다면서 정작 애국지사들의 무덤 관리는 뒷전인 현실이 아쉽다. 국립현충원에 모셔져 있지 않은 분들의 경우는 대개가 이러한 실정이다.

제주시에서는 부덕량 애국지사 무덤 입구에 (표지판은 도로변에 세워야 찾아 갈 수 있으며 버스도 안다니는 이곳에 혹시 차로 접근하는 사람들을 위해 작은 주차장이라도 마련해 놓았으면 한다. 편도 1차선 도로에 차를 세운다는 것은 매우 위험한 일이다) 작은 표지판이라도 세우고 무덤의 풀이라도 자주 깎아 주었으면 좋겠다.

덥수룩한 풀이 그간 이곳을 아무도 찾지 않고 있었다는 사실을 말해 주는 것 같아 더욱 가슴 아팠다. 일제의 침략이 없었다면 스물한 살 처녀 부덕량은 비록 해녀로 생을 꾸려갔겠지만 소박한 꿈을 펼치며 살아갔을 텐데 싶은 마음에 더욱 마음이 아팠다.?

아무도 돌보지 않는 풀 구덩이 속에서 외로운 문주란섬을 벗하며 잠들어 있는 부덕량 애국지사가 그날따라 더욱 외롭고 쓸쓸해 보였다.

하염없는 쓸쓸함에 무덤을 돌아 나오는데 문득 독립운동가 강관순의 '해녀의 노래'가 떠올랐다.

우리들은 제주도의 가엾은 해녀들
비참한 살림살이 세상이 안다
추운 날 무더운 날 비가 오는 날에도
저 바다 물결 위에 시달리는 몸

아침 일찍 집을 떠나 황혼 되면 돌아와
어린아이 젖 먹이며 저녁밥 짓는다
하루 종일 해봤으나 버는 것은 기가 막혀
살자하니 한숨으로 잠못 이룬다.

-강관순이 지은 〈해녀의 노래〉 가운데 일부-

* 부덕량 애국지사 무덤: 구좌읍 하도리 425번지
〈도로변에 무덤을 알리는 작은 팻말이라도 세워주길 바란
다.〉
* 이 글은 2015년 8월 29일 〈신한국문화신문〉에 실린 기사
임

봉건의 너울을 벗고 독립의 길 걸은

신정균

낡은 봉건의
너울 속에 가려진
암울한 시대의 자화상

한 꺼풀 벗겨내고
한없이 푸른 하늘로
두 팔 힘껏 벌려
날갯짓을 도운 신여성

부녀자 문맹 깨쳐
밝은 빛으로
구국의 길 이끌었네

신정균 (申貞均, 1878~1931.7) 애국지사

"신정균 여사는 숙환인 기관지 천식으로 경운동 70번지 자택에서 치료중이더니 1일 오전 5시에 서거하였다. 향년 53세. 여사는 애국부인회 당시의 재무부장이었으며 최근에는 근우회 검사위원장으로 회를 위하여 병을 무릅쓰고 활동하였다. 장의는 사회단체연합장으로 오는 3일 수험리 묘지에 안장한다." 이는 1931년 7월 2일 동아일보 기사이다. "여사는 병을 무릅쓰고 활동하였다"라는 것으로 보아 몸을 아끼지 않고 독립운동에 헌신했음을 알 수 있다.

신정균 애국지사는 신간회(新幹會), 근우회(槿友會) 등을 통해 민족운동을 펼치는 한편 문맹퇴치를 위한 부인교육 등에 힘썼다. 1928년 7월부터 신정균 애국지사는 근우회 경성지회

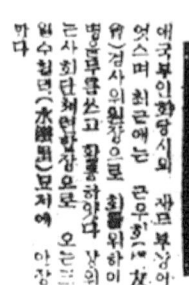

신정균 애국지사의 서거 기사 〈동아일보,1931.7.2〉

재무부를 담당하며 중앙집행위원으로 활약하였다.

근우회는 민족협동전선운동의 한 고리로 조직된 여성운동단체로 민족독립과 여성차별 철폐 등에 앞장섰다. 그는 재무부와 정치 문화부 등을 담당하는 한편, 1929년에는 근우회 전국대회 준비위원, 중앙검사위원으로 뽑히기도 하였다.

또한 신정균 애국지사는 1929년 8월 경성여자소비조합(京城女子消費組合) 창립을 이끌어 창립위원이 되었다. 주로 서울을 중심으로 여성운동과 사회운동을 펼치던 그는 1930년 2월 '조공재조직준비위원회사건'으로 왜경에 붙잡혀 옥고를 치르던 중 불기소처분을 받아 풀려났다. 석방 후에도 근우회 중앙 검사위원장 등으로 활발히 활동하다 숨을 거두었다. 그러나 신정균 애국지사의 죽음이 감옥에서 풀려난 이듬해 7월로 보아 고문에 의한 것이 아닌가 하는 생각이 든다.

동아일보 1931년 7월 2일 기사에서는 신정균 애국지사가 지병인 기관지염으로 숨을 거두었다고 하나, 이 기관지염이 원래 있던 것인지 아니면 감옥에 있을 때 고문 후유증으로 얻은 것인지는 알 수 없다. 대부분의 애국지사들이 출옥 뒤에 얼마 되지 않아 숨을 거두는 데 그 까닭은 악랄한 고문 때문이었던 것을 감안한다면 신정균 애국지사도 출옥 뒤 1년여 만에 숨을 거둔 것은 고문 후유증으로 보아야 할 것이다.

정부는 고인의 공훈을 기려 2007년, 건국포장을 추서하였다.

현대판 직거래 1931년에 이미 생겼다.

신정균 애국지사가 창립 주도한
경성여자소비조합 방문기

- 생산자의 손에서 물품을 직접 갓다가 소비하자!
- 중간 착취를 폐지하는 데서 우리 생활을 위선 개선하자!

분바르고 연지 찍든 얼골에 거문 숫칠을 하고 행주치마 거더 부치고서 계급투쟁선상에 용감하게 띄여나선 묘령 꼿가튼 100여 명의 처녀와 각씨! 서울에도 한복판인 교동골목에 공동생활의 둥주리를 짓고서 1931년대의 이 땅 대중을 향하야 용감한 나팔을 불고 잇다.

종로 네거리에만 나서도 화신상회(和信商會)요 덕원상점(德元商店)이라 하는 수십만 원의 큰 자본을 가진 대백화점(大百貨店)이 버틔어 잇고 또 즌고개나 남대문통에 나서도 거대한 금융자본의 족수(觸手)인 삼월(三越)이나 정자옥(丁子屋)들이 하늘을 찌르는 삘딩 속에 싸히여 잇는 이 격렬한 상업도시(商業都市) 속에 끼어서 그네가 부는 이 나팔소리가 과연 잘 울녀 나갈가?

중간 착취의 이 모든 상업기관들을 엇더케 내리누르고 과연 생산된 물품을 바로 소비자의 손에 운반하여다 줄가? 여기에 큰 폭풍우가튼 가로막헌 란관이 잇다. 이 폭풍우는 마츰내 이

사업의 뱃길을 막으려 하리라. 그러나 새시대의 여러 젊은 사공들은 전위의 의식을 일치 안코서 용감하게 갈곳으로 가려고 애쓴다. 땀을 흘리며 발버둥을 치면서... 이에 우리는 주먹에 땀을 쥐고 그 서태를 바라보기로 하자!

　녀성의 손으로 조직된 오직 하나인 『경성녀자 소비조합』은 작년 사월에 창립되엿스니 벌서 일년이란 세월이 거지반 그 사이를 흘럿다. 조합원은 일백두명 그것이 모다 녀자들이다. 이 가운데는 근우회의 쟁쟁한 투사도 잇고 학교에서 교편잡는 녀성도 잇고 은행 회사의 녀자 사무원도 잇고 집안에서 남편시발하고 아해 길으는 주부도 잇다. 주금(株金)은 한 구에 오원씩이니 총자금이 오백십원 총주주가 일백이명.

　이것을 가지고 락원동 이백오번지 동양식 고전미(古典美)를 띈길ㅅ가 조고마한 조선집 한 채를 한 달에 이십 원씩 세를 주고 어더 들고서 십오 원씩 주는 남자배달부 한명을 두고 무급상무가 그 엽방 코구멍만한 방안에 안저 사무를 보게 하면서 화려하고도 씩씩한 새 의미의 『구멍가가』를 시작하엿다.

　점방에 발을 들여 노차 맨먼저 눈에 띄우는 것이 숫(木炭) 열두섬(俵)을 한쪽에 싸하둔 것과 썩어도 생치 물어도 준치하는 생선마른 것을 질서잇게 배렬한 것과 미역탈애, 고초탈애, 두부, 깨소곰, 후초, 콩나물, 김, 간장, 된장들을 혹은 조희봉지로 혹은 함지박에 가득 담아 노흔 것이 보이고 또 저쪽 정면에 유리창을 하여 단 진렬상자 속에는 안방아씨들의 소용인 듯 『레도크림』『구라부크림』『카자린크림』『아이쓰크림』병이 수

십개가 일렬로 긔착하여섯고 그 우에는 빨간 왜사탕 울퉁불퉁한 마메콩들이 잔체집에 온 듯 풍성하게 준비되여 잇다.

이 물건이면 아모리 대가집에서라도 설명절 아들잔체 할머니 회갑까지 넉넉히 치르고 남겟다. 이만치 이 새시대의『구멍가가』에는 물화(物貨)가 풍성풍성하게 작만되여 잇다.
(중간 줄임)

본래 소비조합 운동이란 중간상인의 착취를 버서버리자는데 그 중요한 목적이 잇느니 만치 물건은 모다 직접 도매상(都賣商)으로부터 특별한 계약을 맷고 넘겨다 판다고 한다. 그래도 장사인 이상 조합에서 드는 경비만은 빼어내어야 하겟슴으로 조곰조곰 부처먹는다는데 그것 실로 참새눈물 만치 지극히 적어서 가령 도매상에서 숫 한심은에 1원짜리를 넘겨오면 5전만 더 부처 조합원에게는 1원 5전에 팔어준다. 이리해도 다른 상점의 시가(時價)보다는 한섬에 15전은 넉넉히 싸다고 하니 장사치고는 소비자에게 반가운 장사 아니라 할 수가 업다.

그러나 겨우 자금 500원을 가지고야 어떠케 완전하게 하여나가랴. 그래서 큰 돈 드는 미곡(米穀)은 직접 취급을 못하고 전동시장 어떤 큰 미곡도매상과 특약을 하여 조합원이 조합원 표를 가지고 가면 그 상점에선 시가보다 한섬에 30전씩 싸게하여 팔어주기로 되엿고 또 포목(布木)도 종로 네거리의 대창무역회사(大昌貿易會社)와 특약을 맷고 역시 3부 내지 5부씩 감가하여 주기로 되엿다 한다.
(뒷줄임)〈삼천리 12호〉1931년 2월 1일

▶▶▶ 더 보 기 2

독립운동가 김한(金翰, 1887.11.16~1938. 7. 13)은 신정균 애국지사의 애인

　신정균 애국지사에 대하여 한국역대인물종합시스템에서는 다음과 같이 기록해두고 있다. "일제 강점기 독립운동가, 사회주의운동가. 본적은 충청북도 괴산(槐山)이다. 애인은 2005년 정부로부터 독립장에 추서된 김한(金翰)이다. 1922년 무렵 살고 있던 집을 팔아 김한에게 조선공산당 공작금으로 전달하였다. '박렬(朴烈) 사건'이 발생하였을 때 김한과 함께 일본 경시청에서 취조를 받았다."

　이 기록에 따르면 부인이 아니라 애인이라고 되어 있을 뿐 구체적인 내용이 기록되어 있지 않아 아쉬움이 인다. 다만 이 기록으로 볼 때 신정균 애국지사가 자신의 집을 팔아 김한 애국지사에게 독립자금으로 전해주었다니 범인(凡人)이 할 수 있는 일은 아니라는 생각이다.

　김한 애국지사는 대한제국 시절 통신원, 탁지부(度支部), 세무 주사 등을 지낸 뒤 1905년 일본으로 건너가 동경 법정대학 정치경제과를 다녔다. 1912년 중국으로 망명하여 상해 등지에서 항일운동을 펼쳤으며 1919년 대한민국임시정부가 수립되자, 임시정부 활동에 참여하여 임시사료편찬회 위원과 대한적십자회 회원으로 활동하였다. 1920년 2월에는 임시정부 법무부 비서국장으로 뽑혔다.

이후 국내로 돌아와 1920년 6월 조선청년연합회기성회사교부원을 맡았다. 1921년 1월 서울청년회 결성에 참여하고, 사상단체인 무산자 동지회(無産者同志會) 결성에 참여하여 상무위원으로 청년운동과 사상운동에 힘을 기울였다.

이 무렵 그는 서울에서 일명 중립당(中立黨)으로 불리는 공산주의 단체 결성에 참여하여 위원을 맡았다. 1922년 9월에는 제3차 고려공산청년회(高麗共産靑年會) 중앙총국 집행위원으로 활약했으며 12월 경성양화직공파업을 지원하는 등 노동운동을 지도하였다.

한편 김한 애국지사는 1922년 12월 대한민국임시정부에서 파견한 김상옥 의사와 뜻을 모아 조선총독을 처단하기 위한 의열투쟁을 윤익중·서대순·정설교·이혜수 등과 함께 추진하였다. 이때 이들은 1923년 1월 제국의회에 참석하기 위해 일본으로 떠나는 조선총독 사이토의 처단과 총독부와 관공서 폭파, 전국적 항일투쟁 등을 계획하였다.

첫 번째 거사가 1923년 1월 12일 김상옥 의사의 종로경찰서 투탄의거였다. 그는 1923년 1월 김상옥의거에 연루되어 왜경에 체포되어 징역 5년을 받고 옥고를 치렀다. 출옥 후 1928년 말 고려공산청년회 후계간부 결성에 참가했으며, 1929년 조선공산당재조직준비위원회를 결성하여 위원 겸 혁명자후원회 책임자가 되었다. 또한 같은 해 6월 신간회 복대표대회(複代表大會)에서 중앙집행위원으로 뽑혀 활동하였다.

정부는 고인의 공훈을 기려 2005년, 건국훈장 독립장을 추서하였다.

독서회로 독립정신 일군

심계월

함경도 갑산의 열세 살 소녀
푸른 꿈 안고 경성에 올라와

따뜻이 반기는 이 없어도
배움의 끈 놓지 않았지

또래 친구들
옹기종기
독서회에 불러 모아

노동력 착취하는
일제의 흉계 응징하던 임

어린 여공
권익 지켜낸 쾌거
조선 여공사에 길이 남으리

심계월 (沈桂月, 1916.1.6~모름)

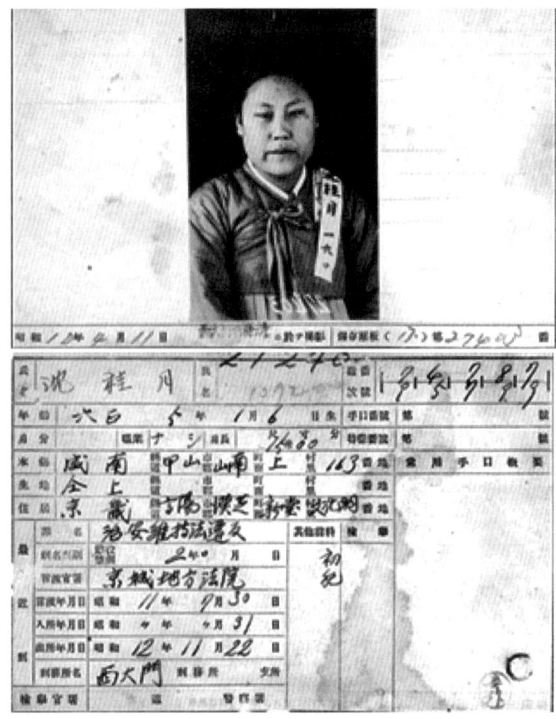

심계월 애국지사의 서대문형무소 수형자 카드 (앞, 뒷면)

"용산적색노조사건의 속행 공판은 15일 오후 2시부터 진행되었는데 재판장은 심계월의 심리부터 들어가게 되었다. 피고 심계월은 재작년 봄에 경성여자상업학교를 졸업하고 총독부 위생과에 고용으로 취직되어 있는 동안에 이인행의 소개로 이재유를 알게 되면서부터 공산주의에 공명하게 되었다. 소화 9

년(1934) 5월 중순 부내(府內) 당주정(현, 당주동) 8번지 피고의 하숙에서 김월옥, 이현우와 만나 '코민테른 제13회 테제'를 지침으로 한 사회주의운동에 더욱 진력할 것을 결의하였다. (뒷줄임)"

이는 심계월 애국지사의 1931년 7월 16일 동아일보 공판 기사로 그는 치안유지법 위반과 방조, 범인 은닉으로 체포되어 징역 2년(미결구류 250일 통산)을 선고받았다. 심계월 애국지사는 함경남도 갑산 출신으로 고향인 삼수에서 삼수공립보통학교 졸업한 뒤 함흥원잠종제조강습소(咸興原蠶種製造講習所)에 입소했다가 도중 퇴소하고 경성으로 올라왔다.

1929년 9월 경성여자상업학교에 다니면서 교내 독서회를 조직하여 9월 30일까지 토요일마다 세 차례에 걸쳐 회의를 하고, 그 주간에 연구한 것을 상호 발표 비판하면서 의식수준의 향상을 도모하는 등 신사상 연구와 동지 확보를 위해 힘썼다.

당시 경성여자상업학교는 구한말 참정대신이었던 한규설(韓圭卨, 1848~1930)의 구국정신을 잇기 위해 그의 아들 한양호(韓亮鎬)가 시천교(侍天敎)에서 운영하던 경성 청석동(靑石洞: 지금의 서울시 종로구 견지동)의 동아학교 교사 일부를 빌려서 1926년 4월 1일 문을 연 학교이다. 한양호는 을사조약을 끝까지 반대하였던 아버지 한규설의 애국정신을 이어, 자신의 능력을 개발하고 나아가 국가의 독립에 기여할 수 있는 여성인재를 육성할 목적으로 경성여자상업학교(현, 서울여자상업고등학교)를 설립하였던 것이다.

수업연한은 3년 과정의 본과와 1년 과정의 전수과를 두었는데 여자상업학교로는 전국 최초로 설립되었고, 조선인 여학생만 입학시켰다. 1927년 정식으로 인가되어 본과 350명, 전수과 50명으로 편성하였으며, 교과목은 국어 · 수신(修身: 도덕) · 일어 · 세계사 · 이과 · 영어 · 기하 · 대수 · 가사 · 미술 · 음악 · 체조 · 상과 등이었다.

심계월 애국지사는 1933년 1월 무렵 학우인 이분성의 소개로 독립운동가 이재유(2006년 독립장 서훈)를 만나게 되어 본격적으로 공산주의 운동에 매진하면서 독립운동으로 도피 중인 동지들에 대한 자금과 은신처를 제공하는 등의 혐의로 체포되어 징역 2년을 선고받았다.

정부는 고인의 공훈을 기려 2010년, 건국훈장 애족장을 추서하였다.

▶ ▶ ▶ 더 보 기

서대문형무소와 여성독립운동가들

2012년 서울 서대문구는 《서대문형무소역사관 '여옥사' 전시 설계 및 전시물 제작, 설치 용역 중 서대문 형무소 수감 여성독립운동가 자료조사》라는 다소 긴 보고서를 한 권 냈다. 당시 서대문형무소는 현재 서대문형무소역사관으로 활용되고 있지만 이곳에 수감되었던 여성독립운동가들을 조사한 것은 이것이 처음이다. 이는 2013년 4월 1일 여옥사 복원과 더불어 여성독립운동가들의 연구를 본격적으로 시작하겠다는 의지로 보여 기쁜 마음이 앞선다.

1919년 3·1독립 만세운동 이후 그간 이곳을 거쳐 간 여성독립운동가는 누구이며 그 숫자는 얼마나 될까? 그간 우리는 이런 기본적인 의문조차 갖지 못한 채 지냈다. 이것은 역설적으로 우리 사회가 그동안 여성독립운동가에 대해 눈을 감고 있었다는 것을 말해주는 것이기도 하다.

그러나 다행히 서대문형무소역사관(관장 박경목)에서 2012년 처음으로 기초조사가 이뤄졌고 이듬해인 2013년 4월 1일엔 여자감옥사를 복원하여 늦었지만 이제라도 많은 사람들이 당시 여성독립운동가들의 수감 생활을 이해 할 수 있게 되어 기쁘다.

《보고서》에 따르면 "1991년~1993년 까지 국사편찬위원에서 펴낸 6,264건의 독립운동 관련 서대문형무소 수감 수형자 신상기록카드 사진으로 식별 가능한 여성 수감자의 신상기록카드는 모두 187건"으로 조사되었다. 이 가운데 수차례 수감으로 중복 작성된 카드를 제외한 여성독립운동 수감자는 모두 176명이라고 밝히고 있다.

176명이라는 숫자는 명명백백히 서대문형무소에서 독립운동과 관련하여 잡혀 와 형기를 살다간 여성의 숫자이다. 하지만 현재 이들이 국가로부터 모두 독립운동을 인정받은 것은 아니다. 유감스럽게도 176명 가운데 고작 13명(2012년 조사 당시)만이 국가보훈처로부터 서훈을 받은 상태다. (아래표 참조) 하루빨리 나머지 독립투사들도 그들의 공훈이 인정되어야 할 것이다.

【수형기록 카드 보존 대상 중 독립유공 공훈자】

연번	이름	생년	공적	포상
1	유관순	1902년12월17일	삼일운동(충남 천안 병천시장)	1962독립장
2	이신애	1891년	삼일운동(안국동 광장 만세운동)	1963독립장
3	임명애	1886년3월25일	삼일운동(파주 교하리)	1990애족장
4	노순경	1902년11월25일	삼일운동(세브란스병원)	1995대통령표창
5	어윤희	1881년6월20일	삼일운동(개성)	1995애족장
6	이병희	1918년1월14일	경성노조, 이재유	1996애족장
7	신관빈	1885년10월4일	삼일운동(개성)	2001애족장
8	이효정	1914년6월21일	경성노조, 이재유	2006건국포장
9	박정선	1874년	삼일운동(안국동 광장 만세운동)	2007애족장
10	김조이	1904년7월5일	공산주의운동, 중국공산당 연계	2008건국포장
11	신경애	1908년9월22일	근우회	2008건국포장
12	고수복	1910년6월15일	부영버스 파업, 노동운동	2010애족장
13	심계월	1916년1월6일	이재유 일파 적화 후계 사건	2010애족장

* 서대문형무소역사관(관장, 박경목) 자료 제공

수예품 만들어 군자금 마련한
유인경

어린 핏덩이 떼어놓고
아낙들 모아

빼앗긴 나라 되찾고자
군자금 모집에
뛰어든 험난한 길

가시에 찔려
넘어져도

광복의 끈 놓지 않고
견뎌 낸
인고의 세월

끝내
밝은 빛 아래
우뚝 섰어라

유인경 (兪仁卿, 1896.10.20~1944.3.2)
애국지사

  유인경 애국지사의 본적은 경상북도 성주군으로 1919년 비밀결사 조직인 대한민국애국부인회에 가입하여 거창·밀양·통영을 통괄하는 대구지부장으로 활동하였다. 대한민국애국부인회는 1919년 3~4월 오현주·오현관·이정숙 등이 이끌며 조직한 혈성단애국부인회(血誠團愛國婦人會)와 최숙자·김원경·김희열·김희옥 등이 중심이 된 대조선독립애국부인회(大朝鮮獨立愛國婦人會)가 그해 6월 통합하여 결성되었다.

  대한민국애국부인회는 기독교회·학교·병원 등을 이용해 조직을 전국적으로 확대하면서 회원들의 회비와 수예품 판매를 통해 독립운동 자금을 모아 대한민국임시정부를 지원하였다. 유인경 애국지사는 조직 확대에 힘쓰는 한편 1919년 8월 군

유인경 애국지사(아이와 함께 있는 이)의 3년 만기 출소를
알리는 기사 〈동아일보 1919.9.20〉

자금 100원을 본부에 교부하는 등의 활동을 폈다.

대한민국애국부인회는 9월에 이르러 김마리아 · 황애시덕을 중심으로 결사부(決死部) · 적십자부(赤十字部)를 신설하여 항일독립전쟁에 대비한 체제로 조직을 전환하였다. 그리고 대한민국청년외교단과 함께 임시정부 국내 연통부(聯通府)의 역할을 수행하였으며 본부와 지부를 통해 대한적십자회 대한총지부의 활동을 수행하였다. 또한 독립운동자금 모집에 힘써 6천원의 자금을 임시정부에 보냈다.

그러나 1919년 오현주의 배신으로 다른 임원과 회원들이 모두 검거되었다. 이 당시 유인경은 26세의 아기 엄마였다. 이는 만기출옥 당시의 〈동아일보〉 (1921년 9월 20일치) 기사를 통해 확인된다. 검거된 80명 가운데 김마리아 · 유인경 등 9명이 기소되었고, 유인경은 최종 1년형을 언도받고 옥고를 치렀다.〈동아일보 1921년 9월 20일 기사에는 유인경 애국지사가 3년 만에 감옥에서 나와 둘째 아들을 만났다고 쓰고 있다〉

정부는 고인의 공훈을 기려 1990년, 건국훈장 애족장을 추서하였다.

애국부인회사건으로 대구 감옥에서 만기 출옥한 신의경, 유인경 애국지사

1921년 9월 20일 동아일보에는 "자모의 부음, 3년 만에 애자 (愛子)"라는 제목의 기사가 실렸는데 애국부인회사건으로 옥살이를 했던 신의경, 유인경 애국지사에 관한 내용이다. 전문을 소개하면 다음과 같다.

"일시 세상의 이목을 놀래이던 애국부인회 사건의 관계로 1년 징역의 선고를 밧고 대구감옥에서 복역 중이던 전 경성정신여학교 교사 신의경(辛義敬)양과 대구의 유인경의 두 여자는 지난 18일 이른 아침에 만기가 되어 출옥하였는데 유인경 여사는 3년 만에 처음으로 감옥이란 문 앞에서 만난 둘째아들을 안고 감개무량한 태도로 인력거 위에 몸을 싣고 남산정 자택으로 가고 신의경은 서울에서 내려온 교회대표, 동창회 대표와 가족들과 함께 덕산정 이자경(李子卿)여사의 댁으로 들어가 안자인하여 1개월 전에 사랑하는 딸을 옥중에 두고 원한을 품고 이 세상을 떠난 자기 어머니의 소식을 듣게 되었다. 3년 동안의 철창생활을 꿈같이 보내고 만기일의 한 달 전부터 출옥하면 사랑하는 어머니의 품속에도 안길 것이요, 여러 친구와 악수도 하야 여러 가지 이야기를 하려니 생각하고 오히려 지나간 고생은 봄눈 녹듯 녹아지고 다만 손가락으로 한시 두시 하루 이틀을 꼽아가면서 만기일만 기다려 출옥하자마자 하늘이 무너질 듯

한 어머니의 부음을 들은 신의경 양은 그만 실신을 하듯 하였
다더라.”

▶▶▶ 더 보 기 2

경북여성들의 독립운동

경북출신의 여성독립운동가들로는 남자현, 김락, 윤악이, 신
분금, 임봉선, 김정희 등을 꼽을 수 있는데 이들은 모두 3·1독
립 만세운동에 참여한 인물들이다. 여자 안중근이라 불리는 영
양의 남자현은 1896년 의병항쟁에 나섰던 남편 김영주가 순국
하자 ‘남편의 원수 일본’ 이라는 의식을 키우다가 서울로 올라
가 만세운동에 참여하였다. 윤악이와 신분금도 남편 주명우와
김태을이 3·1독립 만세운동에 나섰다가 체포되자, 직접 영덕
군 지품면 원전시장에 나가 만세를 불렀다.

또한 대구 신명여학교 교사 임봉선은 학생 50명의 참여를 이
끌어냈다. 그런가 하면 영천의 김정희는 이웃에서 일어난 만세
운동에 자극을 받아 혈서를 쓰고 홀로 만세를 부르는 기개를
보여주었다. 또 남편 김중업과 두 아들을 독립운동에 바친 김
락은 쉰일곱의 나이로 3·1독립 만세운동에 참여했다가 고문
을 당해 두 눈을 잃고 비참한 세월을 보내야했다.

한편, 3·1독립 만세운동 직후 여성들은 비밀리에 항일단체를 만들어 독립운동에 뛰어들었는데 경북여성으로 대한민국애국부인회를 이끌었던 인물이 성주 출신의 유인경이다. 그런가 하면 권성은 광무황제의 출상(出喪)이 끝나는 날 순국의 길을 걸은 남편 이명우와 함께 음독·자정의 길을 걸었다.

1920년대 들어서면서부터는 경북여성들의 움직임이 더 활발해져갔는데 대구여자청년회(1923), 금릉여성회(1925), 안동여성회(1925) 등 여러 지역에서 여성단체가 조직되었다. 이들 단체는 보수성이 강한 이 지역에서 사회주의 좌표를 가진 여성해방론을 주장하고 나섰다는 점에서 큰 의미를 가진다.

1927년 들어 여성운동의 통일적 지도기관인 근우회가 결성되자 경북에서도 6개 지역에서 근우회 지회가 설립되었다. 대구·하양·군위·영천·김천·영주지회가 바로 그것이다. 이를 이끌었던 인물이 대구의 정칠성, 이춘수 그리고 영천의 백신애 등이다.

이 시기 운동에서 주목할 점은 새로운 여성 지도자의 출현이다. 3·1독립 만세운동 직후까지 주로 기득권층과 지식층 남성과의 관계에서 이루어진 측면이 강하다면, 이 시기의 여성 지도자는 좀 더 다양한 계층에서 나타났다. 70살 중반의 나이에 안동 풍산소작인회 집행위원이 된 농민 강경옥과 기생출신으로 근우회 중앙집행위원이 된 정칠성은 그 대표적인 사례이다.

1930년대 여성운동은 독자적으로 여성단체를 조직하여 활동하기 보다는 농민·노동·학생 등 각 부문 운동과 연계해서 이루어졌다. 혁명적 노동조합과 농민조합운동, 그리고 반제·반전운동 등이 주류를 이루었는데, 안동에 뿌리를 둔 이효정과 이병희의 노동운동이 눈길을 끈다.

나라밖에서 투쟁한 여성들도 있다. 3·1독립 만세운동과 만주에서 활약한 남자현(영양)은 경북을 넘어 한국의 대표적인 항일투쟁가이다. 그 밖에 사진 신부로 하와이로 건너가 여성단체를 이끌었던 이희경(대구), 대한민국 임시정부와 한국광복군에서 활약한 민영숙(성주)·전월순(상주)·김봉식(경주), 중국에서 항일무장투쟁을 전개한 김노숙(안동)이 있다.

함경도 청진의 만세운동 앞장선
윤선녀

관모봉에 우뚝 솟은
두 봉우리
선녀 천녀 자매런가

항일격문 짓고
태극기 만들어
청진학교 만세시위 이끈
두 자매

관모봉 메아리 되어
민족혼으로
울려 퍼졌네

윤선녀 (尹仙女, 1911. 4.18~1994.12.6)
애국지사

함북 회령 출신의 윤선녀 애국지사는 1930년 1월 22일 회령 보흥여학교(普興女學校) 재학 중에 광주학생운동(光州學生運動)을 지지하는 만세시위를 주동하다가 검거되어 조사를 받았다. 이해 2월 10일 근우회 회령지회 사무원으로 활동하면서 청진에 있는 언니 윤천녀(尹天女, 1908. 5.29~1967. 6.25)와 함께 청진여고 학생들을 동원하여 항일격문 180여장과 태극기 170여 장을 만들어 광주학생운동을 지지하는 만세시위를 꾀하다가 붙잡혔다.

이 일로 같은 해 4월 2일 청진지방법원에서 이른바 제령 제7호 위반으로 징역 1년형을 받고 항소하였지만 경성복심법원에서 징역 1년형이 확정되어 옥고를 치렀다.

정부는 고인의 공훈을 기려 1990년, 건국훈장 애족장을 수여하였다.

윤선녀 애국지사의 언니 윤천녀도 독립운동가

윤천녀(尹天女, 1908. 5.29~1967. 6.25)

　윤천녀 애국지사는 윤선녀 애국지사의 언니다. 1930년 2월 3일부터 10일 사이에 함북 청진 신암동 92번지 집에서 동생 윤선녀와 함께 청진여학교 학생인 황금진 등 다수를 모아서 전국 각지에 파급되고 있는 광주학생운동에 동조하여 시위에 참여할 것을 제안했다.

　윤천녀 애국지사는 많은 이들의 찬동을 받은 다음 광주학생운동에 대한 정당성과 일제의 식민지 정책에 반대하는 격문 180여장, 그리고 태극기 170여장을 집에서 비밀리에 인쇄하고 다음날인 2월 11일 9시 무렵 장터부근에서 청진여자고등보통학교 학생들과 함께 독립만세시위를 이끌다가 잡혔다.

　이 일로 1930년 4월 2일 청진지방법원에서 징역 1년형을 항소하였지만 1930년 5월 1일 경성복심법원에서 기각되어 형이 확정됨으로 옥고를 치렀다.

　정부는 고인의 공훈을 기려 1990년, 건국훈장 애족장을 추서하였다.

독립자금 모금의 여걸

이겸양

한강 타고 흐르던
기미년 만세 함성
대동강가에 울려 퍼지던 날

군자금 모아
항일사상 드높이고
결사대 지원한
당당한 그 기세

도도히 흐르는
광복의 물줄기
쥐고 흔든

그대는 평양의 여전사

이겸양 (李謙良, 1895.10.24.~모름)
애국지사

　이겸양 애국지사는 평양에 설립된 대한애국부인회 회원으로 임시정부의 독립자금 모집에 앞장섰던 분이다. 2013년 8월 13일 아시아경제 신문에는 "독립운동자금 모금한 여걸 4인방에 건국훈장" 이란 제목으로 다음과 같은 기사가 실려 있다.

　"임시정부의 독립운동자금을 모금하다가 옥고를 치른 박승일(의학수습생), 이겸양(교사), 김성심(전도사), 김용복(은행원) 등 4명의 여성 독립운동가에게 건국훈장 애족장이 추서된다.

　13일 국가보훈처에 따르면 15일 제68주년 광복절을 맞아 임시정부에 군자금을 조달한 '여걸 4인방'을 비롯한 207명의 순국선열과 애국지사를 포상한다. (중간줄임) 박승일 선생 등 4명의 여성 독립운동가는 1919년 11월 평양 일대에서 대한애국부인회에 참여해 일제 당국에 발각돼 조직이 와해할 때까지 당시 돈으로 2,400여 원을 모아 임시정부에 보냈다."

　이겸양 애국지사가 참여한 평양의 대한애국부인회는 1919년 6월 평안남도 평양을 중심으로 하는 기독교 장로파와 감리파 부인이 중심이 된 대한민국임시정부의 독립운동을 돕기 위한 비밀결사 조직을 꾸리기 시작하였는데 8월 무렵에는 대한민국임시정부의 요원인 김정목 · 김순일 등의 권유로 두 교파의 부

인 신도들이 서로 의논한 끝에 11월 연합에 성공하여 이름을
'대한애국부인회'라 정하고 평양에 연합회 본부를 두어 활동
을 시작하였다.

이보다 앞서 이겸양 애국지사는 전라남도 목포의 정명여학
교의 교사로 1919년 6월 무렵 한영신·김용복·김경선·김보
원 등과 함께 평양 신양리에 있는 김경희의 방에서 애국부인회
라는 단체를 조직한 뒤, 한영신을 회장으로 추대하여 임원을
조직하고 동지를 모아 회비와 군자금 모집, 배일사상의 드높
임, 결사대·독립단 기타 운동원의 원조 등에 관한 사항을 결
의하였다.

같은 해 8월 상순 김용복의 집에서 한영신과 7명의 간부가
모여 활동의 경과, 임원의 개선과 감리파와의 연합 가부(可否)
를 협의하고 연합할 것을 결정하여 11월 장로파와 감리파의 연
합이 성사되었다. 이때 김경희의 방에서 박승일 등 두 파의 간
부 각 6명과 함께 모여 박승일·최순덕·이성실·손진실·황
신덕 등이 조직한 애국부인회와 연합하여 '대한애국부인회'의
결성을 주도하였다.

이 날 모임에서는 본부를 평양에, 지회를 각지에 둘 것, 본부
의 임원은 두파가 공평하게 선임할 것, 이미 설치된 각파 부인
회는 그대로 지회로 할 것, 각 지방의 각 파 부인 유지에게 권
유하여 지회를 설립할 것, 일반으로부터 회비 이외의 군자금을
모집할 것 등을 결의하였다.

그 뒤 이겸양 애국지사는 이 단체의 본부 서기이자 평양 장로파지회의 서기로서, 1920년 4월까지 여러 차례에 걸쳐 평양의 기흘병원(紀笏病院) 등에 모여 임원 개선과 회원 모집, 회비 모금 등에 관한 협의를 하였다.

또한 같은 해 5월 이래 각 지방의 부인, 유지들에게 권유하여 지회를 조직하고 배일사상을 펼치게 하는 한편, 이를 통하여 군자금 2,400여 원을 모아 대한민국임시정부에 보냈다. 이 과정에서 왜경에 잡혀 1921년 2월 24일 평양복심법원에서 이른바 1919년 제령(制令) 제7호(정치에 관한 범죄처벌의 건) 위반으로 징역 2년 6월을 선고 받고 평양형무소에서 옥고를 치르다가 1922년 5월 6일 출옥하였다. 이겸양 애국지사의 이때 나이는 스물일곱이었다.

정부는 고인의 공훈을 기려 2013년, 건국훈장 애족장을 추서하였다.

태평양 넘은 광복의 빛

이희경

능금골 열아홉 처녀
사진 들고 떠난 하와이
물설고 말 설은 이국땅서
받은 설움 물리치고

고난의 순간마다
태평양 넘어
광복의 빛 그리며
가시밭길 헤쳐 나왔네

커튼 공장에서 얻은 수입
독립자금으로 아낌없이 내놓던 임

그리던 조국 땅 밟지 못하고
쉰세 살에
이역만리 남의 땅서
눈 감으니 애통하여라

이희경 (1894. 1. 8~1947. 6.26) 애국지사

권도인, 이희경 부부독립운동가

"하와이에서도 이희경(이금례)이 전시공채(戰時公債)를 팔기 위해 이 집 저 집을 다녔고, 자기의 자녀들도 각자 25달러의 공채를 샀으며 그녀의 부부도 많은 돈을 주고 공채를 구입하였다." 이는 1941년 12월 7일 진주만을 공격하여 태평양 전쟁을 일으킨 일본에 대해 재미 한인들이 미국의 전쟁 수행을 후원하는 일에 적극 나섰음을 알 수 있는 기록이다.

당시 재미 한인들은 미국을 위해 공채를 사주는 등 지원을 아끼지 않았는데 그것은 미국과 일본 사이에 전쟁이 일어나게 되면 일제는 종말을 고하게 될 것이고, 오랫동안 기대하여 왔던 조국의 독립을 가져오게 될 것이라고 굳게 믿고 있었기 때문이다.

이희경 애국지사는 1919년 4월 1일 하와이 호놀룰루에서 창립된 하와이 부인단체의 통일기관인 대한부인구제회(大韓婦人救濟會)회원이 되어 국권회복운동과 독립전쟁에 필요한 후원금을 모집하는데 앞장섰으며 애국지사 가족들에게 구제금을 보내는 등 구제사업에 정성을 쏟았다.

이른바 사진신부로 하와이에 건너간 이희경 애국지사는 1894년 대구에서 아버지 이종하와 어머니 김정원 사이의 2남 2녀 가운데 셋째로 태어났다. 이희경 애국지사의 본래 이름은 이금례(李今禮)로 그의 가정은 비교적 넉넉한 것으로 알려져 있으며 대구 신명여학교를 1회로 졸업할 정도로 부모님의 자녀교육은 남달랐다. 그런 그가 사진 한 장을 들고 하와이로 떠나기로 결심한 것은 미국에 가서 더 공부를 하고 싶은 꿈이 있었기 때문이다.

이희경 애국지사의 나이 19살, 그의 남편이 된 사람은 경북 영양 출신의 25살 청년 권도인이었다. 그러나 하와이 사탕수수밭 노동자로 건너와 정착한 초기 이민자들의 환경은 이희경 애국지사가 생각하는 것처럼 그렇게 넉넉한 형편은 되지 못했다. 하지만 이희경 애국지사는 어려운 환경 속에서도 남편을 적극적으로 내조하면서 하와이 한인여성들과 함께 대한부인구제회를 결성하여 왕성한 사회활동을 펼쳤다.

남편 권도인 역시 미주지역을 대표하는 독립운동 후원자가 된 이들 부부는 가구사업으로 크게 성공했는데 특히 대나무 발을 떠올리며 만든 커튼이 불티나게 팔리자 샌프란시스코에 공장을 세울 정도로 규모가 커졌다. 이희경 권도인 부부는 사업에서 나오는 돈을 독립운동 자금으로 아낌없이 기부했는데 1945년 광복이 될 때까지 《국민보》에 기록된 금액만도 1만 달러에 이를 정도였다. 뿐만 아니라 이희경 애국지사 남편은 태평양전쟁이 일어나자 직접 민병대로 나서 자신의 트럭으로 물자를 수송했으며 두 아들도 군에 입대시킬 정도로 투철한 항일의식을 갖고 있었다.

이희경 애국지사는 독립운동 지원과 한인여성의 지위 향상에 특히 힘을 쏟았으며 대한부인구제회 회원으로 왕성한 활동을 하였다. 그러다가 1928년 경남 의령 출신인 한글학자이자 독립운동가인 이극로 선생이 독일에서 박사학위를 받고 귀국하면서 잠깐 하와이에 머물던 중 한인들의 초대를 받아 국어강연회를 연 적이 있는데 이때 이승만이 이극로를 폄하하고 영남 출신자들에게 모멸감을 주자 대한부인구제회를 탈퇴, 김보배 · 박금우 · 곽명숙 · 박정숙 등과 영남부인회(이후 영남부인실업동맹회로 바꿈)를 조직하기도 했다.

이희경 애국지사는 영남부인회를 15년 동안 이끌면서 한인여성사회의 발전과 독립운동 후원, 재미한인사회 구제사업 활동에 커다란 족적을 남겼다. 1940년대 초에는 부인구제회 호놀룰루지방회 대표로서 부인구제회 승전후원금 모집위원과 부인구제회 사료원 등으로 활동해 수백 원에 달하는 독립운동자금을 제공했다.

그러나 이희경 애국지사는 이 일로(반 이승만 노선) 조국 방문의 기회를 얻지 못하고 1947년 쉰세 살의 나이로 그만 교통사고를 당해 세상을 떠나고 말았다. 이후 남편 권도인 애국지사도 3년 뒤인 1950년에 교통사고를 당해 세상을 뜨는 바람에 부부 애국지사는 그리던 고국 땅을 밟아 보지 못하다가 2004년에 이르러서야 유해로 돌아와 국립대전현충원에 안장되었다.

정부는 남편 권도인 애국지사에게 건국훈장 애족장(1998)을, 아내 이희경 애국지사에게는 건국포장(2002)을 추서했다.

▶▶▶ 더 보 기

남편 권도인도 독립운동가

"왜놈은 한국의 시설(施設)이 일신하고 산업이 발달한 것을 자랑한다. 우리 사람 중에도 이 속임수에 빠져서 제각기 부지런만 하면 우리 한인도 그 복락을 누릴 수 있다고 어림없는 꿈을 꾸는 자가 있다. 그러나 이 시설은 누구를 위한 존재(存在)냐 원료품을 취하고 상품을 소비하기 위한 왜놈의 시설이 한인에게 유익을 줄 리는 만무하다. 총독부가 산미증식계획(產米增殖計劃)을 세우고 한인을 강박한 결과는 1924년으로 붙어 10년간에 약 50만 석의 쌀을 증수(增收)하게 되였다. 그러나 1924년의 한 사람의 평균소비량은 한인이 0.774석이며 왜놈은 1.068석이든 것이 1933年에는 한인은 0.411석으로 떨어지고 왜놈은 1,095석으로 올라갔다. 그러면 한인은 누구를 위하야 산미증식에 피땀을 흘렸는가.

이 따위 예는 이로 헤일 수가 없으니 최근 수년래로 총독부가 한인에게 색옷 입기를 강박하며 금주금연(禁酒禁煙)을 어느 정도까지 장려하지만 이것은 겉으로 한인을 위하는 듯하되 실지에는 세금을 착취하기 위하며 또는 해외시장 협소(狹少)로 타격을 받은 일본 방정업자의 손실을 보충하고저 함이다. 그럼으로 금일의 한인은 자작자급하든 옛날을 그리워할 뿐이오, 왜적에 대하야는 오직 반항과 복수만 생각하고 있으니 그들의 생활이 극도의 참경에 빠저서 너와 나와 함께 죽기만 바라고 있는 이때에 그들의 돌격의 라팔소리를 기다릴 뿐이다.”

이는 『한민』 제12호(1937. 3. 1)의 ‘3 · 1절에 대한 소감’이라는 글 가운데 일부다. 이 기사에는 하와이 〈국민회〉에서 1월 21일에 대의회를 열고 새로 당선된 임원을 소개하고 있는데 권도인 애국지사 이름도 보인다.

총회장	죠병요	부회장	안원규
총무	태병선	서기	김현구
재무	황인환	**실업부원**	**권도인**
련무부원	리졍건	년부원	양유찬
외교부원	됴세은	법무부원	김원용
학무부원	김윤배	샤교부원	박봉집

권도인(權道仁, 1888. 9. 27~1962. 4. 24) 애국지사는 영양군 석보면 북계동(현 소계동)에서 태어났다. 그는 17살에 고향을 떠나 인천에서

시베리아호를 타고 1905년 2월 13일 하와이 호놀룰루에 도착했는데 당시 이민자들의 나이가 20~30대 인 것을 볼 때 어린 나이였다.

하와이에 도착한 권도인 애국지사가 처음 실려 간 곳은 카우아이섬의 콜로아였다. 그는 4년 넘게 그곳 사탕수수밭에서 일했다. 하와이로 떠나온 지 4년째인 1909년 안중근의 의거 소식이 들려오자 미국에서는 의연금 모집을 하게 되었고 권도인 애국지사도 사탕수수 밭에서 일해 모은 돈을 성금으로 냈다.

당시 재미한인들은《대동위인 안중근전(大東偉人 安重根傳)》을 펴냈는데 부록에 권도인의 성금도 기록되어 있다. 이어 1910년 그는 대한인국민회 콜로아지방회의 회장에 취임한다. 이민 온지 5년 만이자, 갓 스무 살을 넘은 나이였다. 대한인국민회는 1909년 공립협회(共立協會)와 합성협회(合成協會)가 발전적으로 통합한 국민회(國民會)가 1910년 5월 대동보국회(大同保國會)를 흡수 통합함으로써 탄생한 미주 한인사회의 대표적인 독립운동단체였다.

이때 하와이에 살던 권도인은 대한인국민회 하와이 콜로아지방회의 회장으로 활약하면서 민족의식 드높임과 독립운동자금 모집에 힘을 쏟았다. 그리하여 3·1독립 만세운동 직후 대한민국임시정부가 수립되자 대한인국민회를 중심으로 미주 한인사회는 임시정부의 재정적 지원을 통한 독립운동을 활발하게 펼치게 되었다.

1925년 임시정부의 이승만 탄핵과 더불어 구미위원부가 폐지됨에 따라 미주지역의 독립운동은 침체기를 맞이하게 되었으나, 1937년 중일전쟁이 일어나자 다시 활기를 띠면서 인구세와 혈성금(血誠金) 등을 통하여 임시정부를 지원하였다.

그는 1937년 대한인국민회의 재무를 담당하면서 독립운동 자금 모집에 앞장섰으며, 1938년에는 하와이 연합의회 대의원으로 활동하였다. 그러던 중 중국 지역에서 1938년 조선의용대가 결성되자, 미주에서도 이를 후원하기 위한 움직임이 일어나 1939년 4월 의용대후원회가 뉴욕에서 결성된 것을 시작으로 로스엔젤레스, 시카고 등 미주 본토와 하와이, 쿠바, 멕시코 등에 지부가 설치되었다.

이들은 배일선전과 군사후원금 모집을 위한 각종 대중집회와 기념대회를 열면서 활발하게 독립을 위한 활동을 펼쳤다. 나아가 1940년 5월에는 대내외 활동의 통일을 위해 의용대후원회 연합회를 만들었는데, 이때 권도인은 연합회의 대표로 뽑혔다. 그 뒤 1941년 4월 하와이 호놀룰루에서 열린 해외한족대회에 조선의용대 미주후원회 연합회의 대표로 참가하여 미주지역 독립운동단체의 연합에 힘을 쏟으며 독립운동에 힘썼다.

서간도 모진 바람 견뎌 낸
임수명

통의부 군사령관 남편 따라
항일전선 뛰어들어

동토의 땅 연해주
경신참변 견뎌내고

서간도 찬바람도 이겨낸
백의의 천사

마적의 급습으로 순국한 남편
차마 홀로 보내지 못해
함께 따라 나섰는가

애달픈 광복의 찬가
넋 되어

저 하늘에서도 함께
불렀으리

임수명 (任壽命, 1894. 2.15~1924.11. 2)
애국지사

"(신팔균) 씨의 가정에는 칠순이나 되는 모친이 있고 부인과 아들 4형제와 7, 8개월 된 유복자가 있으며 두 아우가 있는데 씨의 흉변이 있은 후로는 가정도 매우 비참하여졌으며..." "그의 부인 임수명은 남편의 전사를 모르는 채 주변의 강권에 의해 귀국하였다. 그러나 남편의 죽음을 안 그녀는 남편이 죽은 지 꼭 4개월이 지난 11월 2일 유복녀인 계영(季英)과 함께 음독 자결하였다"

이는 임수명 애국지사에 관한 동아일보 1924년 11월 4일치를 인용한 《신팔균의 생애와 민족운동》에 나오는 임수명 애국지사에 대한 기록이다. 독립투사 신팔균(申八均, 1882.5.19~1924. 7. 2)의 아내인 임수명 애국지사는 충북 진천 사람으로 1912년 서울의 한 병원에서 간호원으로 근무하고 있을 때 환자로 위장하고 입원하고 있던 신팔균(통의부군사위원장겸 사령관)과 알게 되어 1914년 결혼하였다.

그 뒤 북경으로 망명한 부군의 비밀문서 연락 등 독립운동을 도왔으며, 1921년 밀명을 띠고 입국한 부군을 따라 만주로 가서 계속 독립운동을 하였다. 그러나 1924년 8월 1일 신팔균 애국지사가 통의부사령관 소재지를 습격한 중국 마적과 전투 중 전사하자, 귀국하여 서울 종로구 사직동 자택에서 딸과 함께

임수명, 신팔균 부부독립운동가

자결하였다.

대부분의 여성독립운동가들의 기록이 극히 간략하여 그 활동을 구체적으로 알기 어려운데 임수명 애국지사 역시 일생에 관한 기록이 많지 않아 안타깝다. 다만 독립투사인 남편 신팔균 애국지사를 만날 때가 스무 살로 간호원이었다는 점과 북경으로 망명하여 남편을 도와 비밀문서를 전달하고 만주까지 가서 활동하였다는 사실은 남편의 활동을 통해 짐작할 수 있다.

남편 신팔균 애국지사는 전통적인 무반(武班) 가문의 후예로 태어나 구한말 육군무관학교를 졸업하고 장교의 길을 걸었다. 그러나 1907년 일본에 의해 대한제국 군대가 해산 당하자 신팔균 애국지사는 군 복무를 접고, 1909년 안희제, 김동삼 등이 조직한 비밀 결사 대동청년단에 가담하면서 독립운동에 뛰어들기 시작했다. 영남 지역을 중심으로 결성된 대동청년당에는 윤세복, 서상일 등 유명한 독립운동가 들이 대거 참가했다.

임수명 애국지사는 1914년 중국으로 망명하여 안동현에서 살다가 북경으로 거주를 옮긴다. 그러나 그는 북경에 남고 남편 신팔균 애국지사는 서로군정서와 신흥무관학교에서 활동하기 위해 서간도를 왕래하게 된다. 이때 얻은 별명이 '남만주 삼천'인데 지청천과 김경천 그리고 신팔균(호가 동천)을 일러 부른 것이다.

신팔균 애국지사는 대한통의부에서 중요한 직책을 맡아 활동하였는데 만주와 노령의 5개 관구를 총지휘하였다. 북경 주재 시에는 일제로부터 '불령선인'으로서 찍혀 요시찰 인물이 었으니 임수명 애국지사의 북경에서의 삶 또한 살얼음판을 걷는 상황이었음은 불을 보듯 빤한 일이다.

더군다나 북경 등 화북지역에 이주한 한인들은 정착할 때 아주 적은 이주비용을 지참하였는데 이것은 바로 생활의 곤궁함으로 이어졌다. 북경의 경우 대표적 독립운동가인 우당 이회영 부인조차도 그 생활이 참담했다고 했으며 1922년 일시 귀국해서 북경으로 올 때 100원도 지니지 못함을 탄식했을 정도로 생활이 곤궁했던 것을 감안하면 임수명 애국지사 역시 생활고에 시달렸을 것으로 짐작된다.

그러나 임수명 애국지사는 북경에서 어려운 생활을 꾸려가면서도 애오라지 조국의 독립이라는 희망의 끈을 놓지 않았다.

그것은 독립투사 남편 신팔균에 대한 기대감도 있었을 것이었을 텐데 임수명 애국지사는 1924년 7월 2일, 남편의 뜻하지 않는 비보를 전해 듣게 된다.

신팔균 애국지사는 무기를 탈취하고자 하는 마적으로 구성된 중국 지방군의 습격을 받아 항전하는 과정에서 그만 전사하고 만 것이다. 그의 전사는 독립운동계의 큰 손실이었으며, 가족사에서도 비참한 결과를 가져왔다.

임수명 애국지사는 정부로부터 1990년에 건국훈장 애국장이 추서되었으며 남편인 신팔균 애국지사는 1963년에 건국훈장 독립장을 추서 받았다.

▶▶▶ 더 보 기

충북출신 독립운동가

충북 출신이거나 이 지역에 연고를 둔 여성 독립운동가는 7명 정도로 추정되고 있다. 신순호(申順浩, 1922~2009) 애국지사는 청주(옛 청원) 출신으로 임시정부 요인인 신건식(1898~1963) 선생의 딸이며 독립운동가 신규식(1880~1922) 선생이 작은아버지다. 신순호 애국지사는 한국광복진선청년공작대에 입대해 남편 박영준(1915~2000) 애국지사와 함께 항일운동을 펼쳤다. 1990년 정부로부터 건국훈장 애국장을 받았다.

진천 출신 임수명(任壽命, 1894~1924) 애국지사도 남편 신팔균(1882~1924) 애국지사와 함께 만주에서 독립운동을 하다 남편이 전사하자 딸과 함께 자결 순국했다. 1990년 정부가 건국훈장 애국장을 추서했다.

어윤희(魚允姬, 1880~1961)애국지사는 충주에서 태어났고 서울에서 보내온 독립선언서를 개성 일대에 배포해 개성의 만세운동에 불을 붙였고 이에 보안법 위반으로 징역 1년 6월의 옥고를 치렀다. 1995년 정부가 건국훈장 애족장을 추서했고 2011년 5월 독립기념관·국가보훈처가 이달의 독립운동가로 선정했다.

충북에서 태어나지 않았지만 경기 고양(현 서울) 출신 박자혜(朴慈惠, 1895~1943) 애국지사는 남편 신채호(1880~1936) 선생과 함께 독립운동에 투신했다. 조산원과 간호사로 조직된 간우회 회원들을 주도해 독립만세운동을 폈고 독립지사 간의 연락과 편의 제공에 힘썼다. 1990년 정부가 건국훈장 애족장(1977년 대통령표창)을 추서했고 2009년 7월 이달의 독립운동가로 선정됐다.

경기 여주에서 태어난 연미당(延薇堂, 1908~1981) 애국지사는 증평 출신 독립운동가인 아버지 연병환(1878~1926) 선생에 이어 남편 엄항섭(1898~1962) 애국지사와 함께 독립운동에 투신했다. 연미당 애국지사는 광복군 활동과 한국애족부인회 조직부장 등 임시정부 후원 활동 등을 전개했다. 딸 엄기선 (1929~2002)의 독립운동에도 영향을 줬다. 1990년 정부가 건국훈장 애족장을 추서했다.

이 밖에도 충북 출신 여성독립운동가 4명이 새로 발굴·조명됐다. 박경목 서대문형무소역사관장은 2013년 5월 충북대 중원문화연구소가 주최한 '충북의 봉화만세운동과 조동식의 항일투쟁' 학술대회에서 고강순(1909~?)·민금봉(1913~?)·박소순(1915~?)·박신삼(1903~?) 등 4명의 충북 출신 여성독립운동가의 판결문과 수형기록 등을 통해 이들의 독립운동을 소개했다.

고강순은 1942년 음성 감곡에서 소학교 교사로 민족교육을 선도하다가 붙잡혀 1년형을 받고 서대문형무소에서 옥고를 치렀다.

민금봉은 청주 출신으로 1930년 서울시내 여학생 만세시위운동에 참여했다. 이는 1930년대 초 여성들만의 대대적인 만세시위운동으로서의 의미가 크다.

박소순은 청주 출신이며 1930년대 공장 노동자로 근무하면서 식민지 지배구조에서 빚어지는 노동자에 대한 법적인 처우와 조선인 차별에 대항해 노동운동에 참여했다.

박신삼은 충주에서 태어났고 배화여고 학생으로 1920년 3·1독립 만세운동 1주년 기념 투쟁으로 만세 시위운동에 적극적으로 참여했다가 붙잡혀 6개월의 징역형을 받았다. 박신삼 등 24명의 배화여고생은 이례적으로 높은 형량을 받았다. 이들 4명의 여성 독립운동가는 아직 독립유공자로 선정되지 못했다. 〈2015.3.15 뉴시스 충북〉

용두레 샘골의 꼿꼿한 영혼
장태화

별 헤던 청년의 고향
용두레 샘골
마흔 여섯 여자 선전원

뜻 품은 이들 속에
홀로 숨어들어
광복을 노래하다 잡혀

살점 떨어지는 고문에도
끝내
동지를 팔지 않던 영혼

북간도 용두레 샘골
너 만은 기억하리라

장태화 (張泰燁, 1878~ 모름) 애국지사

"최근 안도현 흥도자 지방에 근거를 둔 대동회(大同會) 여자 선전원을 조종하여 교묘히 조선 내 각지에 침입케 함을 당국에서 발견하고 체포하려고 활동 중 사흘 전에 간도에서 한명이 체포되어 지금 엄중한 취조를 받고 있다고 한다. 그 사람인즉 함경남도 고원군 하태면 조양리에 원적을 두고 현재 간도 용정촌에 거주하는 장태화(張泰華 또는 張泰燁)라는 사람으로 원래는 천도교도를 겸하여 삼일운동 당시 극단의 독립사상을 품고 음으로 양으로 과격한 독립운동을 계속하여 오든바 이번에 대동회서 간도방면에 특파한 중앙집행위원 함남 북청군 청해면 출생 김관(金瓘)의 지휘를 받아 용정촌 안 여러 곳에 선전문을 배포하였다는 사실로 체포되었다. 그러나 장태화는 아무리 취조를 하여도 여자 선전원 숫자라든지 연락관계와 또는 범

아무리 취조해도 동지를 팔지 않았다는 장태화 애국지사 기사〈동아일보 1925.1.17〉

행 등을 죽어라하고 자백하지 않는다고 한다."

이는 1925년 1월 17일치 동아일보에 대서특필된 장태화 애국지사 관련 독립운동 기사 일부다. 이 기사는 "국경에서 활동하던 여자 독립군, 군자금 모집에 남자보다 더 활동"이라는 제목으로 실려 있는데 "아무리 취조해도 동지들에 관한 이야기를 말 하지 않는다."는 내용을 통해 장태화 애국지사의 단호하고도 꿋꿋한 자세를 엿볼 수 있다. 이때 장태화 애국지사의 나이는 48살로 결코 여자나이로는 적은 나이가 아니었다.

장태화 애국지사는 1924년 11월 중국 길림성 연길현 용정촌에서 대동회 선전원으로 선전문을 배포하고 독립운동 자금을 모집하다 체포되어 옥고를 치렀다. 체포되기 한 달 전인 10월 길림성 안도현(安圖縣)에서 연두익 등이 청년회를 개편하여 대동회를 조직하고 총부(總部)를 액목현(額穆縣) 흑석둔(黑石屯)에 설치할 때 의열단, 의용군사회, 광복단, 국민회, 독군부(督軍府) 등이 여기에 참여하였다.

대동회는 각 단체의 위원합의제도로 운영되었는데 창립 직후 간도 방면에 김관(金瓘)을 중앙집행위원으로 특파하자, 장태화 애국지사는 같은 해 11월 김관 휘하에 들어가 선전원(宣傳員)으로 임명되어 길림성 연길현 용정촌에서 선전문을 배포하였다. 또한 같은 달 28일 용정촌 시내 잡화상 지남극(池南極)에게 대동회 선전문과 대한민국임시정부 발행 독립공채권을 제시하고 군자금을 모집하였으며, 30일에도 용정촌 자산가 오명언으로부터 군자금 모집을 시도하다가 그만 체포되어 1925

년 5월 8일 이른바 대정(大正) 8년 제령(制令) 제7호 위반으로 징역 1년을 받고 항소하였으나 같은 해 6월 5일 기각되어 옥고를 치렀다.

장태화 애국지사는 간도에서 천도교 용정종리원을 근거로 하여 활동하면서 안도현 일대의 독립운동단체와의 연락, 국내에서 군자금 모집 후 독립운동단체로 송금, 무기 보관과 전달 등 업무를 수행하였으며, 일제 말기에는 국내 함남 북청(北靑), 갑산(甲山), 혜산(惠山)을 근거지로 삼아 이영대, 김해산, 조두희, 박창건, 이우영, 이정섭, 박인진, 주동림 등과 함께 연대하여 독립운동에 힘썼다.

정부는 고인의 공훈을 기려 2013년, 건국훈장 애족장을 추서하였다.

▶ ▶ ▶ 더 보 기

북간도 용정의 독립운동

북간도는 애국 계몽가들에 의해 나라밖에 세운 최초의 독립운동기지가 있던 곳이다. 1906년 8월 이상설·이동녕·정순만·여준·박정서 등 애국계몽 인사들은 북간도의 중심지 연길현 용정촌에 서전서숙(瑞甸書塾)을 설립하였다. 서전서숙은

근대교육과 민족주의교육을 실시한 곳으로 독립운동자 양성소 역할을 했던 곳이다. 그러나 서전서숙은 1907년 이상설이 헤이 그밀사로 떠나면서 재정난을 겪게 되고, 일제의 탄압을 당하여 1908년 가을에 문을 닫고 말았다.

서전서숙이 문을 닫은 뒤 김약연은 박정서·여준 등 서전서 숙 관계자들과 합력하여 용정촌에서 40여 리 떨어진 화룡현 장 재촌에 명동서숙(明東書塾)을 설립하였다. 이때 신민회는 이 동녕과 이동휘를 고문, 정재면을 단장으로 하고, 기독교 전도 사와 의사 및 재무담당자를 포함하는 북간도교육단을 파견하 였다.

평양 숭실학교 출신으로 보광학교 교사였던 정재면은 명동 서숙을 명동학교로 개칭하고, 교육이념을 독립정신에 두는 근 대학교, 기독교학교로 개편했으며, 명동교회를 설립하여 선교 활동도 벌였다. 명동학교는 문무쌍전의 철저한 민족주의 교육 을 실시하여 이 지역 민족교육의 본산이 되었다.

명동학교의 기반이 잡힌 뒤, 김약연·정재면 등 명동학교 관 련 민족운동자들은 북간도 한인사회를 묶어 독립운동을 추진 할 자치기구로 '간민자치회(墾民自治會)'를 조직하였다. 그러 나 간민자치회는 일제의 한인 자치활동을 방해하려는 책동 때 문에 '간민교육회(墾民敎育會)'(1909)로 바꿨다. 간민교육회 는 연변 국자가(연길)에 본부를 두고, 북간도 전역에 지회와 다 수의 학교를 세웠으며, 모범촌운동, 문맹퇴치운동, 생산·판매 ·소비조합운동을 벌여 독립운동의 기반을 조성하였다.

용정지역에서 '만세함성'이 터지기 시작한 것은 1919년 3월 13일 이었다. 그러나 이곳에서는 국내보다 먼저 연길과 용정의 한인을 중심으로 한 조직적인 만세 시위를 준비하고 있었다. 그러던 중 국내에서 3·1독립 만세운동이 일어났다는 소식이 전해지고 민족 대표 33인의 독립 선언서가 전달되자 거사를 준비하던 인사들은 더욱 용기를 얻어 본격적인 시위 준비를 실행에 옮겼던 것이다.

1919년 3월 7일 국내의 시위 소식을 접한 이 지역 민족 운동자들은 협의를 거듭한 결과 구체적인 계획을 수립하였다. 곧 이들은 대회장에 김영학, 부회장에 배형식 등을 뽑아, 3월 13일 용정 북쪽의 넓은 들판인 서전대야에서 "조선독립축하회"라는 이름으로 독립 선언식을 거행하고 시위를 펼친다는 결정을 내렸다.

독립운동가가 많이 나온 용정의 명동학교〈1931.3.20〉

이어 독립선언서와 대회개최서 등을 민족주의 교육기관인 은진중학교 지하실에서 등사해 이를 북간도 전역의 한인들에게 릴레이식으로 전달하였다. 참가 한인들에게는 집회 당일 날 태극기를 만들어 지참하도록 당부까지 하여 모든 준비를 완료하였다. 그리고는 마침내 1919년 3월 13일 낮 12시를 계기로 동포들은 일제에 항거하는 만세운동을 전개하였던 것이다. 독립신문(북간도, 그 과거와 현재, 1920.1.10) 기록에 따르면 약 3만 명 이상이 참가했다고 한다.

용정에서 시작된 만세 시위운동은 뒤이어 북간도 전역에 퍼지기 시작하여 한민족의 독립의지를 펼치는 시발점이 되었다. 같은 날 화룡현 제3소학교에서 약 300명, 14일에는 7도구에서 200명, 15일에는 하광포에서 500명, 16일에는 명신사 2도구에서 400명이 모여 시위를 벌였다. 또한 연길현 이도구에서도 3월 13일 700여명의 한인이 모였으며, 14일에는 두도구에 5,000여명의 한인이 모여 집회와 시위를 펼쳤다. 15일에는 8도구에 200여명이, 16일에는 두도구에 또 다시 4,000여명의 한인이 모여 연속적인 집회와 시위를 전개하였다.

그런가 하면 두만강 대안의 훈춘에서는 3월 20일 훈춘시내에 약 500여명의 한인이 모여 독립 선언을 선포하고 2열종대로 늘어선 학생 시위대를 선두로 시위운동을 펼쳤다. 이날 훈춘시내 한인 집집마다에는 태극기가 걸렸으며 상가 또한 모두 철시한 상태였다. 이 같이 시작된 훈춘의 시위는 적어도 3월 22일까지 지속적으로 펼쳐졌다.

이와 같이 펼쳐진 북간도 지역의 만세운동은 적어도 5월 초까지 계속되었고, 기록에 나타난 숫자만 하더라도 총 참여 인원은 10만 천 4백여 명에 달하였다. 용정에서 부터 시작된 북간도지역의 독립 만세운동은 국내 못지않게 지속적이고 광범위하게 펼쳐졌으며 우리 겨레의 독립의지를 나라 안팎에 확고하게 알린 역사적인 독립운동이었음에 주목해야 할 것이다.

통영에 울려 퍼진 기생의 절규
정막래

하찮은 미물도
목숨이 있듯

화류계에 담근 몸이라고
어찌 혼이 없으랴

기미년 만세 함성
한산섬에 울려 퍼질 때

죽기를 결심하고
앞장선 기생

영원히 기억되리
대한의 역사에

정막래 (1899.9.8~1976.12.24) 애국지사

 "(1919) 4월 28일에 경상남도 통영에서 기생 정막래, 이소선 두 기생은 일찍이 가무를 학습하여 화류계에 몸을 던져 세월을 보내더니 이번 우리의 독립운동이 일어난 후로 화류 천업을 버리고 나라를 위하여 죽기로 결심하고 밤낮으로 거리에 나와 연설을 하며 독립만세를 부르매 일반인 수천 명이 모여 한가지로 시위운동을 거행하다가 마침내 왜경에게 붙들려 옥에 갇혀 불공평한 판결로 6개월 징역에 처하였다." 이는 1919년 7월 1일 신한민보 기사다.

 기생 출신인 정막래 애국지사는 1919년 4월 2일 오전 10시 무렵 경남 통영군 통영면 길야정(吉野町) 기생조합소(妓生組

죽을 각오로 만세운동에 앞장선 통영 기생 '정막래〈그림 이무성 한국화가〉

合所)에서 이소선 외 5명의 기생과 함께 기생단을 조직하였다. 그는 일행과 함께 자신의 금반지를 팔아서 마련한 장례용 옷으로 갈아입고, 이날 오후 3시 반 무렵 통영면 부도정(敷島町)에 나가서 수천 명의 군중과 함께 독립만세운동을 전개하였다. 시위 직후 체포된 정막래는 1919년 4월 18일 부산지방법원 통영지청에서 징역 6월을 받고 마산형무소에서 옥고를 치르고 1919년 10월 18일 출옥하였다.

이날의 상황에 대해 매일신보 1919년 4월 24일 기사에는 다음과 같이 기록하고 있다. "부산지방법원 통영지청에서 독립만세운동에 대한 공판이 있었는데 지난 4월 2일 동지 5명을 선동하여 만세를 부른 기생 정막래(22), 이소선(20)과 그날 부도정 시장에서 군중을 선동한 강윤조(20), 고변주(59)와 3월 18일 학생 20명을 선동한 박상건(17)에 대한 언도는 다음과 같다. 징역 6월 정막래, 이소선 박상건, 징역 1년 "

정부는 고인의 공훈을 기려 2008년, 대통령표창을 추서하였다.

▶▶▶ 더 보 기

그 밖의 기생 출신 독립운동가는?

"저 풀을 보라. 들불이 다 불사르지 못한다. 봄바람이 불면 다시 살아난다. 어찌 우리 2천만 국혼만이 그런 이치가 없겠는가! 이것이 내가 우리나라는 반드시 광복하는 날이 있다고 믿는 이유이다. (가운데 줄임) 3월 23일에는 기녀 독립단이 국가를 제창하고 만세를 부르면서 남강을 끼고 행진하니 왜경 수십명이 급히 달려와 칼을 빼어 치려하자 기생하나가 부르짖었다. '우리가 죽어 나라가 독립이 된다면 죽어도 한이 없다'고 하자 여러 기생들은 강기슭을 따라 태연히 전진하면서 조금도 두려워하는 기색이 없었다."

이 글은 박은식의 《한국독립운동지혈사》 가운데 '진주기녀 독립단'에 나오는 말이다. 일제 강점기에 기생들의 독립운동 이야기는 듣는 이로 하여금 가슴을 뭉클하게 한다. 기생의 신분으로 독립운동에 뛰어들어 그 공훈을 인정받은 인물로는 통영의 정막래, 이소선 외에 수원의 김향화 (2009년 대통령표창), 황해도 해주 출신의 문재민(1998년 애족장), 옥운경(2010년 대통령표창) 등이 있으며 서훈은 받지 못했지만 독립운동을 한 기생으로는 안성 기생 변매화, 해주 기생 김월희, 문월선, 김용성 그리고 통영의 예기조합 출신인 정홍도와 이국희는 금비녀와 금반지를 팔아 광복 4필을 구입해, 33명의 기생들과 함께 태극기를 만들어 시위한 것으로 알려져 있다.

*통영기생 이소선(2008년 대통령표창 추서)

이소선은 기생으로 독립만세운동을 펼치기 위하여 1919년 4월 2일 오전 10시 경 경남 통영군 통영면 길야정(吉野町) 기생조합소(妓生組合所)에서 정막래(丁莫來) 외 5명의 기생과 함께 기생단을 조직하였다. 그는 일행과 함께 자신의 금반지를 팔아서 마련한 장례용 옷으로 갈아입고, 동일 오후 3시 반 경 통영면 부도정(敷島町)에 나가서 수천 명의 시위대와 함께 독립만세운동을 전개하였다. 이소선은 시위 직후 체포되어 1919년 4월 18일 부산지방법원 통영지청에서 징역 6월을 받아 옥고를 치르고 1919년 10월 18일 출옥하였다.

*수원기생 김향화 (2009년 대통령 표창 추서)

행화(杏花), 순이(順伊)라는 이름으로도 불린 김향화는 1919년 3월 29일 경기 수원군 자혜병원 앞에서 기생 30여 명과 함께 독립만세를 불렀으며 수원 기생조합 출신으로 건강검진을 받으려고 자혜병원으로 가던 중 동료와 함께 준비한 태극기를 흔들며 독립만세를 주도하여 의기(義妓)로서 기상을 높였다.

*해주기생 옥운경 (2010년 대통령 표창 추서)

1919년 2월 말, 문응순(예명 月仙), 김성일(예명 月姬)은 고종의 국장을 보기 위해 상경했다. 슬픔에 가득찬 마음으로 국장을 보고 때마침 일어난 만세운동에 참가한 뒤 해주로 돌아왔다. 해주의 만세운동은 3월 1일과 3월 9일에 이어 4월 1일에도 크게 일어났는데 이날 만세 시위를 이끌었던 기생들은 옥운경, 김해중월, 이벽도, 김월희, 문향희, 문월선, 화용, 금희 등으로 이들은 모두 현장에서 잡혀가 해주 지방법원으로 넘겨져 감옥

생활을 해야 했다.

*해주기생 문재민(1998년 건국훈장 애족장 추서)

황해도 해주에서 태어나 16살 되던 해인 1919년 4월 1일, 문재민은 만세운동을 일으키기로 결심하고, 동료 기생들을 모아 해주읍의 독립만세운동을 이끌었다. 3·1독립 만세운동은 남녀노소·직업의 귀천을 불문하고 거족적으로 일어난 것이었지만, 특히 기생들의 참여는 3·1독립 만세운동의 의미를 더욱 값지게 하는 것이었다.

문재민은 동료 기생들과 함께 손가락을 깨물어 흐르는 피로 그린 태극기를 들고 해주 종로에서 만세운동을 벌였다. 이들은 종로를 출발하여 남문으로 행진해 나갔는데, 많은 사람들이 호응하여 시위운동에 참가하였다. 시위군중이 동문으로 나갈 때 군중의 수는 3,000여 명으로 늘어났다. 다시 종로 큰 거리로 들어선 기생들은 일시 행진을 중지하고 독립연설을 하였다.

당시 해주 기생 가운데는 서화에도 능숙한 기생조합장 문월선(文月仙)을 비롯한 학식 있는 기생들이 많았다. 그들의 이러한 독립연설과 격려문 낭독은 군중들을 감동시키기에 충분하였다. 기생들은 종로에서 다시 서문 밖으로 행진을 계속하던 중, 헌병과 경찰에 의해 강압적인 해산을 당했으며, 이날 문재민(문향희)을 비롯하여 김월희, 문월선, 이벽도, 해중월 등 기생 7명이 구속되었으며 해주지방법원에서 징역 4월~6월을 각각 선고 받고 옥고를 치렀다.

두려움 떨친 여자광복군
조순옥

서안의 멀고먼 장정
가시밭길 내디딘

열일곱 광복군 소녀
두렵지 않았을까?

목숨이 하나이듯
조국도 하나

그 투지로 지켜 낸
조국 광복의 길

겨레얼 되어
누천년 이어지리

조순옥 (趙順玉, 1923. 9.17~1973. 4.23)
애국지사

　　조순옥 애국지사는 독립운동가 조시원 선생의 딸이며 조시원의 형이 조소앙 선생으로 조순옥 애국지사 집안은 가족 모두가 독립운동에 참여한 집안이다. 아버지 조시원 선생은 1920년 상해로 망명, 1927년 김무정 등과 중국본부한인청년총동맹을 조직하여 항일운동을 펼쳤다. 조순옥 애국지사는 독립운동가 집안에서 자연스레 독립의 중요성을 인식하면서 성장하였으며 열일곱이 되던 해인 1940년 9월 17일 광복군이 창설됨에 따라

1940년 한국광복군 성립 전례식 기념사진.
네모 안에 4명은 여성 창설대원인 오광심 · 지복영 · 조순옥 · 김영주 광복군

오광심(吳光心) · 김정숙(金貞淑) · 이복영(李復榮)과 함께 여
군으로 광복군에 입대하였다.

　이에 앞서 대한민국임시정부는 1940년 9월 15일 중국 중경
에서 광복군 총사령부를 설치하고, 17일 중경 가릉빈관에서 한
국광복군총사령부 성립 전례식을 가졌다. 총사령관에는 이청
천, 참모장에 이범석 장군이 맡았으며, 총사령부는 약 30여명
안팎으로 구성되었다.

　남성들의 전유물인 광복군에 여성들이 지원할 수 있었던 것
은 1919년 임시정부 수립 이후 한국 여성들이 국내외에서 남성
못지않은 전투력을 보여줬기 때문이다. 일제강점기 여성운동
의 지도자로 명성이 높았던 평북 의주 출신의 조신성은 조맹선
을 단장으로 하는 대한독립청년단과 밀접한 관련을 갖고 평남
맹산군 선유봉 호랑이굴을 중심으로 항일무장활동을 앞장서서
이끌었다. 그는 남성 단원들을 이끌고 육혈포, 탄환, 다이너마
이트 등을 품고 생식을 하면서 단원들을 이끌었다.

　뿐만 아니라 평남 대동 출신의 안경신은 1920년 8월 미국의
원단이 내한하자 국제여론 환기와 독립의욕을 드높이기 위해
평남 경찰국청사에 폭탄을 던져 세상을 놀라게 했고, 경북 영
양 출생의 남자현은 1925년 박청산과 함께 사이토 총독을 암살
하려 만주로 망명한 뒤 1932년 국제연맹조사단의 리튼경
(卿)이 하얼빈에 왔을 때 왼손 무명지를 끊어 조선독립원이라
는 혈서를 쓰고 끊어진 손가락 마디를 함께 싸서 보내어 조국
의 독립을 호소했다.

이처럼 조신성, 안경신, 남자현 등과 같이 적극적으로 민족운동을 펼쳤던 여성들과 국내외에서 항일운동단체를 조직하여 활동한 여성들의 활약은 남성들로 하여금 여성에 대한 인식을 새롭게 하는 계기가 되었다. 이러한 선배 여성들의 활약으로 한국광복군이 창설되었을 때 여성들에 대해서도 입대를 허락하였던 것이다.

여자광복군으로 오광심, 김정숙, 지복영, 조순옥, 민영주, 신순호 등이 참여하였다. 여성들이 주로 맡은 업무는 사령부의 비서 사무 및 선전 사업 분야에서 활동하였다. 광복군은 창설 후 얼마 지나지 않아 서안(西安)으로 이동하게 되는데 서안에서는 1940년 10월부터 1942년 3월까지 있었으며 조순옥 애국지사도 서안에 배속되어 근무하였다.

광복군의 기본조직은 총사령부와 지대(支隊)로 이뤄졌다. 총사령부는 지휘부이고, 지대는 그 예하의 단위부대라고 할 수 있다. 지대의 하부조직으로는 구대(區隊)가 있고, 구대의 하부조직에는 분대(分隊)가 있었다. 광복군의 조직은 총사령부 - 지대 - 구대 - 분대의 편제로 구성되어 있으며 이러한 조직체제는 처음부터 갖추어진 것이 아니라 먼저 총사령부를 구성하여 광복군을 창설하였고, 이후 조직 체제를 갖추어 갔던 것이다. 조순옥 애국지사는 1942년 광복군 제2지대 제1구대 2분대원으로 편입되어 항일독립운동을 하던 중 광복을 맞이하였다.

정부는 고인의 공훈을 기려 1990년, 건국훈장 애국장을 추서하였다.

대한민국 유수의 독립운동가 일가(一家)

할아버지 함안 조 씨 조정규 선생과 6남매 독립 운동이야기

조정규 선생은 장남 용하(鏞夏, 1977 독립장), 차남 소앙
(1989 대한민국장), 3남 용주(鏞周, 1991 애국장), 4남 용한(鏞
漢, 1990 애국장), 딸 용제(鏞濟, 1990 애족장), 5남 용진(鏞晋),
6남 시원(時元, 1963 독립장) 등이 독립운동을 한 자랑스러운
집안이다.

그뿐만 아니라 손자 시제(時濟, 1990 애국장, 조소앙의 2남),
인제(仁濟, 1963 독립장, 조소앙의 3남), 손녀 계림(桂林,1996
애족장, 조소앙의 따님), 손녀 순옥(順玉, 1990 애국장, 조시원
의 장녀, 안춘생 전 독립기념관장의 부인), 자부 이순승(李順
承, 1990 애족장, 조시원의 부인) 등 5명을 합하여 일가족 11명
을 독립운동가로 육성하고 그 자신 역시 독립운동에 투신한 보
기 드문 '독립유공자 집안'이다.

〈조용하 :1882. 3. 3~1937. 3. 3〉
재미(在美) 생활 20여 년간 넥타이 한 개만을 사용 할 정도
로 검소했던 조용하 애국지사는 1901년 대한제국의 주독(駐
獨), 주불(駐佛) 공사관 참사관을 역임하고 귀국하여 이천군수
등을 지내다가, 1905년 을사늑약이 강제로 체결되자 북경으로

망명하여 항일활동을 하였다. 1913년 도미(渡美)하여 박용만과 같이 하와이에서 조선독립단(朝鮮獨立團 Korean Independence League)을 조직하였으며, 1920년 7월 하와이 지방 총회에서 지단장에 선출되어 기관지 "태평양시사"를 발행하는 등 활동하였다. 그는 또한 친동생인 상해임시정부 외무총장 조소앙과 긴밀한 연락을 유지하며 외교와 홍보활동을 펼쳤다.

1932년 4월 그는 조소앙으로부터 중한동맹회(中韓同盟會) 조직의 선언서와 입회용지를 받고 하와이에 있던 동지를 권유하여 가입시켰으며, 임시정부와 끈을 갖고 독립운동을 계속하였다. 같은 해 10월에는 보다 본격적인 활동을 위하여 미국 기선 프레지던트 후우버호를 타고 상해로 가던 도중 일본 고베(神戶)에 기항하였다가 이 정보를 입수한 일경에게 체포되었다. 1933년 1월 서울로 압송된 그는 1933년 4월 1일 경성지방법원에서 징역 2년 6월형을 받고 옥고를 치렀다. 출옥 뒤 옥고의 여독으로 1937년 3월에 세상을 떴다.

정부에서는 고인의 공훈을 기려 1977년, 건국훈장 독립장을 추서하였다.

〈조소앙 : 1887. 4.10~1958. 9.〉
1904년 성균관을 수료하고 7월에 황실유학생에 뽑혀 일본으로 건너가 도쿄부립제일중학교(東京府立第一中學校)에 입학하였다. 1905년 을사조약이 체결되자 도쿄 유학생들과 같이 우에노(上野)공원에서 7충신 추모대회와 매국적신과 일진회의 매국행각 규탄대회를 열어 일제를 꾸짖었다. 그해 12월에는 도쿄부립제일중학교 가츠우라(勝浦炳雄) 교장이 일제의 한국침략의 필연성을 말하자 이를 곧바로 반박하여 퇴학처분을 받을 만큼 옳고 그름을 분명히 하였다.

조국이 일제에 강탈당하자 항일운동의 발판을 마련하고자 1913년 북경을 거쳐 상해로 망명한 뒤 신규식 · 박은식 · 홍명희 등과 동제사(同濟社)를 개편하여 박달학원(博達學院)을 세워 청년 혁명가들을 길렀으며 이는 중국에서의 항일독립운동을 위한 발판이 되었다.

1919년 3 · 1독립 만세운동 직후에 조소앙 애국지사는 국내에서 조직된 조선민국임시정부의 교통무경에 추대되었으며 같은 해 4월 상해에서 임시정부를 수립할 때 앞장서서 참여하였다. 임정출범의 법적 뒷받침이 된 '임시헌장'과 '임시의정원법'의 기초위원으로 실무 작업을 담당하여 민주공화제 임정수립의 산파역 가운데 한사람으로서 임무를 다하였다.

〈조용주 :1891. 8.24~1937.12. 9〉

1913년에 중국으로 망명하여 친형인 조소앙과 힘을 합쳐 상해에서 아세아민족반일대동당(亞細亞民族反日大同黨)을 결성하여 항일투쟁을 펼치고 1916년에는 상해에서 대동당(大同黨)의 결성을 이끌었다. 1917년의 대동단결선언(大同團結宣言) 때에도 조소앙의 활동을 도왔다. 그리고 3 · 1독립 만세운동이 일어나자 길림에 있던 그는 〈대한독립선언서(大韓獨立宣言書)〉의 작성에 참여하였고, 다시 상해로 넘어가 대한민국임시정부의 임시헌장(臨時憲章)을 기초하기도 하였다.

한편 같은 해 5월에 조소앙이 국제무대에서의 외교활동을 위해 유럽으로 떠나기에 앞서 그는 4월 말 무렵 외교활동에 대한 지원단체를 조직하기 위해 국내로 들어와 대한민국청년외교단(大韓民國靑年外交團)을 조직하였다. 1919년 5월에 서울에서 결성된 대한민국청년외교단은 독립정신의 보급 및 선전과 아울러 세계 각국에 외교원을 파견하여 독립 실현을 보장받는데 목표를 둔 단체로서 국내 곳곳 그리고 나라밖 상해에 지부를 만들고 조소앙의 외교활동에 대한 지원과 선전활동을 폈다. 이 때 조용주는 동단의 외교원으로 뽑혀 활약하는 한편 대한민국청년외교단의 자매단체인 대조선독립애국부인회(大朝鮮獨立愛國婦人會)를 혈성단애국부인회(血誠團愛國婦人會)와 통합하여 대한민국애국부인회(大韓民國愛國婦人會)로 발전·개편하는데 앞장섰다. 이후 그는 상해와 국내를 왕래하며 대한민국청년외교단의 활동을 지도하다가 1919년 11월말 동단의 발각으로 잡혀 징역 3년형을 언도받았다.

정부는 고인의 공훈을 기려 1991년, 건국훈장 애국장을 추서하였다.

〈조용한 : 1894.10. 4~1935.11.25〉
1920년 음력 12월 20일 무렵 김홍제·오인영과 함께 독립군자금을 모집한 뒤 중국 상해로 망명하여 대한민국임시정부에 참여하고 독립운동에 헌신할 것을 다짐하였다. 그리하여 그는 완구용 권총 한 자루를 구입한 다음 중국 동삼성(東三省) 소재 서로군정서(西路軍政署) 명의의 인장을 파서 군자금 영수증서를 작성하고 수원·안성·진위의 부자들로부터 군자금을 모집하려고 오인영을 방문하러 가던 중 왜경에게 잡혔다. 1921년 5월 5일 경성지방법원 수원지청에서 소위 정치범죄처벌령 위반 및 강도예비 등으로 유죄판결을 받고 같은 해 6월 6일 경성복심법원에서 징역 3년형을 언도받아 옥고를 치렀다. 1928년 5월 중국 상해로 건너가 대한민국임시정부 외교총장인 친형 조소앙과 함께 독립운동을 하였다.

정부는 고인의 공훈을 기려 1990년, 건국훈장 애국장을 추서하였다.

〈조용제: 1898. 9.14~1948. 3.10 〉
조소앙 선생의 여동생으로 1929년 중국 상해로 오빠인 조소앙(趙素昻)·조시원(趙時元) 등 일가와 함께 망명하여 항일운동에 참가하였다. 1935년 9월 5일 조소앙이 한국독립당(韓國獨立黨)을 재건하기 위해 활동할 때 이에 참여하여 창당작업을 뒷받침했다.1940년 6월 17일 한국혁명여성동맹(韓國革命女性同盟) 창립요원으로 참여하여 한국 여성에게 민족혁명정신을 드높이는 등의 활동을 하는 한편 같은 해 5월에는 한국독립당의 창립위원이 되어 활동하였다.

1941년 한국독립당의 중경(重慶) 강북구당(江北區黨) 요원으로 대한민국임시정부를 지지하며 독립운동을 하였고 1943년 2월 중국 중경에서 한국애국부인회의 재건요인으로 뽑혀 전체 부녀자들의 각성과 단결을 촉구하며 여성의 독립운동을 이끌었다.

정부는 고인의 공훈을 기려 1990년, 건국훈장 애족장을 추서하였다.

조순옥 애국지사 아버지 〈조시원: 1904.10.23~1982.7.18〉

1928년 상해에서 한인청년동맹 상해지부 집행위원회 정치·문화부와 선전조직부 간부로 활동하였으며, 1930년에는 한국광복진선(韓國光復陣線)을 결성하였다. 1935년에는 조소앙·홍진 등과 함께 월간잡지 《진광(震光)》을 펴내 항일의식을 높였다. 1939년 10월 3일에는 임시의정원 경기도 의원에 뽑혀 광복 때까지 의정활동에 참여하여 항일활동에 몸을 바쳤다.

1940년 5월에는 3당 통합 운동에 적극 참여하여 한국독립당을 창당하여 그 중앙집행위원에 뽑혔다. 1940년 9월 17일에 한국광복군이 창설됨에 따라 광복군 총사령부 부관으로 임명되었으며 총사령부가 중경에서 서안으로 옮겨감에 따라 서안으로 가서 부관처장 대리로 일했다. 또한 임시정부 선전위원회의 위원을 겸직하기도 하였다.

1941년에는 전시하에 급격히 필요한 간부를 많이 길러내기 위하여 일정한 기간 교육훈련을 하는 군사교육기관인 중국 중앙전시간부훈련 제4단 특과총대학원대 한청반(中央戰時幹部訓練 第四團 特科總大學員隊韓靑班)에서 안일청·한유한·송호성 등과 함께 군사 교관으로서 전술, 역사, 정신교육을 담당하며 민족정신 앙양에 온힘을 쏟았다. 1943년에는 광복군 총사령부 군법 실장(軍法室長)에 뽑혀 항일 활동을 펼쳤으며, 광복군 정령(正領)으로 일했다.

정부는 고인의 공훈을 기려 1963년, 건국훈장 독립장을 추서하였다.

〈조시제 : 1913. 5. 1~1947. 3.20〉

1930년에 한국독립당 계열의 화랑사(花郞社)에 가입하였다. 1932년 1월 25일 중국 상해 불조계(佛祖界) 망지로(忘志路)에서 이덕주·김덕근 등 9인이 모여 상해 한인청년당을 만들고 서무부장에 뽑혀 활동하다가 1932년 4월 14일에 그만 두었다. 1933년 3월 1일에는 상해 한인소년동맹원으로 3·1독립 만세운동 기념과 같은 해 8월 29일 국치기념일을 맞이하여 항일 격문을 인쇄하여 배포하는 등의 활동을 하였다.

1940년 12월에 한국광복진선청년공작대에 가입하여 항일사상을 드높이는 활동을 하였다. 1941년에는 중경임시정부의 황학수·이준식·노복선 등과 함께 군사특파단원이 되어 서안(西安)에 파견되어 활동하였다. 같은 해 12월 27일에 중경임시정부 국무회의에서 외교부원으로 뽑혀 활동하였으며 1943년 3월에는 한국독립당에 가입하였다. 1945년 임시정부의 특명으로 만주에 파견되어 임무수행 중에 조선독립동맹 김창만에게 안동에서 암살당했다.

정부는 고인의 공훈을 기려 1990년, 건국훈장 애국장을 추서하였다.

마산 의신학교 열다섯 소녀
최봉선

기미년 마산 장터
구름처럼 몰려든 군중

의신학교 열다섯 살 소녀
태극기 물결 속
격문 뿌리며

총칼의 두려움 떨치고
마산의 결사대
맨 앞에 섰었지

친일파 김기정 집을 습격한 죄로
옥고를 치른 소녀

그 용기
후손들 가슴에 새겨
영원히 귀감되리라

최봉선 (崔鳳善, 1904. 8. 10~1996. 3. 8)
애국지사

최봉선 애국지사를 뵈러 대전국립현충원엘 찾았다. 칠월의 짙푸른 신록 속에 수많은 영령들이 잠든 무덤가에는 따가운 햇볕만 내리쬘 뿐 무덤을 찾는 이는 보이지 않았다.

애국지사 제2묘역 564. 무덤에도 번지수가 있다. 애국지사 묘역은 정문에서 걷기에는 다소 먼 느낌으로 현충원 위쪽 한가한 곳에 자리하고 있다. 최봉선 애국지사 무덤으로 가는 길에 만난 숱한 분들의 묘비 시구(詩句)가 가슴을 쓸어내린다.

바람타는 섬 제주의 아들 / 제 살 썩혀 진주되는 법 알았으니 / 조국의 외외한 혼으로 남으리 - 애국지사 부두전의 묘 -

찬이슬 눈보라에 님 한 몸 가눔 없이 / 빼앗긴 나라 찾기 오직 한마음 / 수만리 만주벌판 말달리며 지새운 나날 / 풍진 스무해 / 못 다한 큰 뜻 가슴에 묻고 / 오호라 님은 가시니 / 그 한 사무쳐서 광복된 조국의 메아리는 / 님의 혼 길이 기리리다. - 애국지사 정기화의 묘-

한분 한분의 사연을 담은 무덤을 지나 최봉선 애국지사 무덤에 섰다. 7월의 눈부신 태양을 받아 빛나는 묘비석에 최봉선 애국지사의 어록이 새겨져 있다.

"국민이 독립을 위하여 지속적으로 투쟁하지 아니하면 독립을 얻지 못하는 것이다. 3·1 독립정신은 바로 거족적으로 지속 투쟁하여 나라의 독립과 통일을 성취하기 위한 정신적 밑거름이다"

최봉선 애국지사는 경남 마산출신으로 1919년 3월 21일 마산 만세운동에 앞장섰던 인물이다. 그의 나이 열다섯 살 때의 일이다. 의신학교(義信學校)에 재학 중이던 최봉선 애국지사는 전국적인 만세운동을 계기로 김남준·이수학·안음전 등과 함께 결사단을 조직하여 독립만세 시위운동을 계획하게 된다.

이들은 궐기에 필요한 태극기와 격문 등을 만들었는데 최봉선은 자기 집을 비밀장소로 제공하였다. 발각되는 날이면 모두

국립대전현충원 최봉선 애국지사 무덤에서

죽음을 면하기 어려운 상황이었으나 개의치 않았다. 이날 의신학교, 창신학교 학생들과 장터에 모인 군중까지 3,000여명을 헤아리는 시위군중과 함께 최봉선 애국지사는 앞장서서 독립만세를 부르면서 대대적인 학생중심의 시위를 벌였다.

또한 1927년 3월에는 통영군 통영면에 거주하는 친일파이자 경상남도 평의원인 김기정이 평의회 석상에서 "조선인에 대한 교육은 필요하지 않으며 조선어로 통역하는 것을 금해야 한다."는 매국적 발언을 한데 분개하여 시민대회에 동참했다. 그러나 "김기정은 일체의 공직을 파직하라."는 시민의 요구에 대해 김기정이 도리어 고소함으로써 박봉삼 · 황덕윤 · 황봉석 등과 함께 12명이 통영경찰서에 구속되었다.

최봉선 애국지사는 석방되자 동지들과 함께 다시 3월 12일 시민대회를 열고 경찰서로 몰려가 구속자들의 석방을 요구하고 김기정의 집으로 가서 고소 취하를 요구하였으나 김기정이 반성의 기미가 없음을 알고 15일 격문을 만들어 수천 명의 시위군중과 함께 김기정의 집을 습격하며 활동하다가 또 잡혀 들어가 1928년 12월 13일 대구복심법원에서 징역 6월형을 받고 1년 8개월간에 걸쳐 옥고를 치렀다.

그 뒤 최봉선 애국지사는 1952년 마산의신여자고등공민학교 교장을 거쳐 1968년에는 마산의신여자중학교장을 지냈다. 한편 1991년에는 사회복지법인 새들원 이사를 맡았으며 1992년 정부로부터 건국훈장 애족장을 받았다.
한편 최봉선 애국지사의 형부인 박중한(朴仲漢, 1895. 7.

5~1970. 9.17) 애국지사도 1927년 2월 매국노 김기정의 행위를 규탄하는 과정에서 체포되어 1928년 5월 1일 대구복심법원에서 징역 6월에 집행유예 3년을 선고받은 공로가 인정되어 정부는 2007년에 건국포장을 추서했다.(박중한의 형 박종한 애국지사도 1995년에 대통령표창)

열다섯 의신학교의 당찬 소녀 최봉선!

기미년의 만세운동은 이들 소녀의 죽음을 불사한 저항정신이 일궈낸 우리 민족의 승리요, 독립정신의 밑거름이 되었음은 그 누구도 부인하지 못할 것이다. 다만, 그들의 의연했던 모습을 기억하지 못하는 후손된 우리의 부끄러움이 이 무더운 여름 더욱 후끈하게 등줄기를 달굴 뿐이다. 〈2016년 7월 22일 '신한국문화신문'에 실린 글임〉

▶ ▶ ▶ 더 보 기

형부 박종한(朴鍾漢, 1887.6.8~1964.7.16) 애국지사

경남 충무 출신으로 1927년 3월 경남 통영(統營)에서 친일파의 매국적 발언을 응징하기 위하여 시민대회를 이끌면서 민족의식을 심어주었다. 당시 경남 도평의원(道平議員)으로 있던 김기정(金淇正)이 한국인의 교육 불필요와 한국어 통역철폐 등의 매국적 언사를 서슴지 않자 박종한 애국지사는 박봉삼(朴

奉杉) 등 10여 명과 함께 친일파 김기정에 대한 시민징토(市民懲討)대회를 주최하면서 시민들에게 김기정의 매국 발언을 고발하는 한편 김기정 추방운동을 전개하였다.

박종한 애국지사는 김기정의 집 앞에서 격렬한 시위를 전개하면서 군중집회를 주도하다가 왜경에 잡혀 1928년 12월 23일 대구복심법원에서 징역 6월에 집행유예 2년을 받았다. 정부에서는 고인의 공훈을 기려 1995년에 대통령표창을 추서하였다.

형부 박중한(朴仲漢, 1895.7.5~1970.9.17) 애국지사

박중한 애국지사는 1927년 2월 경상남도 도평의원(道評議員)인 김기정(金淇正)이 도평의원회에서 "조선인에게 교육을 실시하는 것은 국가를 멸망시키는 것이다."라는 등의 폭언을 일삼자, 이에 대한 진상조사와 시민대회의 개최를 추진하였다. 박중한 애국지사는 김기정의 행위를 '매국적 행위'로 규정하고, 김기정을 '사회적으로 절교'시키고, 공직에서 해임시킬 것 등을 동지들과 결의하고 이와 같은 내용의 결의서를 인쇄 · 배포하였다.

그러나 왜경은 박중한의 행위를 출판법 위반 및 명예훼손이라 규정하고 체포하였다. 박중한은 재판 과정에서 "조선인은 자유와 권리가 없는 민족이니 모욕을 듣더라도 관계없냐?"며 재판장에게 반문하는 등 당당히 의사를 밝혔으나, 1928년 5월

1일 대구복심법원에서 징역 6월에 집행유예 3년을 선고받았다.
정부는 고인의 공훈을 기려 2007년에 건국포장을 추서하였다.

흰 옷을 사랑한 백의의 천사

탁명숙

흰 옷을 사랑하는
겨레를 돌보던
백의의 천사

사이토를 응징하던
강우규 지사 도와
흰 가운에 붉은 피
묻히며 투쟁하던 임

항일의 목소리
놓지 않고
4 · 3항쟁 고아까지 보듬은
임은 정녕
겨레의 천사였어라

탁명숙 (卓明淑, 1890.12.4~1972.10.24) 애국지사

　탁명숙 애국지사는 함경남도 정평군에서 태어나 세브란스병원 간호부양성소를 졸업하고 원산 구세병원 간호사로 근무하던 중 서울에서 1919년 3월 1일 독립 만세운동이 일어나자 서울로 상경해 3월 5일의 만세운동에 참여했다.

　1919년 3월 5일 아침 일찍부터 남대문역 광장에서는 수많은 시위 군중이 모여 만세를 불렀는데 이날 모인 학생과 군중들은 태극기를 흔들면서 남대문 쪽을 향하여 행진을 시작하였다. 이 시위 군중 속에는 평양 학생 약 200여 명과 탁명숙 애국지사 등 세브란스 병원 간호원 11명도 섞여 있었다. 이날 시위로 탁명숙 애국지사는 왜경에 잡혀 징역 6월에 집행유예 3년을 선고받았다.

세브란스 간호부양성소 졸업생(1918)

그러나 탁명숙 애국지사는 이것으로 그치지 않고 1919년 9월 2일 신임 총독 사이토(齋藤實)가 부임할 때 남대문 역에 폭탄을 던진 강우규 의사를 9월 13일 경성부 누하동(樓下洞) 136번지 임재화(林在和)의 집에 피신시켰다. 이 일로 다시 잡힌 탁명숙 애국지사는 1919년 11월 6일 경성지방법원에서 보안법 위반으로 징역 6월 집행유예 3년을 선고받았다.

출옥 뒤에 원산 구세병원에 근무하면서 고향인 함흥에 동명여학교(東明女學校)설립을 주도하는 등 여성에 대한 민족교육에 헌신하였다. 그 뒤 탁명숙 애국지사는 1922년 서귀포시 성산읍 출신인 현이길 씨(3대 김녕중학교 교장)와 혼인을 하면서 제주와 인연을 맺었다. 1947년 애국부녀연맹 남제주군지부를 결성한데 이어 4·3항쟁으로 고아들이 많이 발생하자 1951년 제주보육원을 설립한 뒤 1972년 세상을 뜰 때까지 육영사업에 헌신했다.

정부는 고인의 공훈을 기려 2013년, 건국포장을 추서하였다.

▶ ▶ ▶ 더 보 기

조선총독 사이토에게 폭탄 던진 강우규 의사

"내가 죽는다고 조금도 어쩌지 말라. 내 평생 나라를 위해 한 일이 아무 것도 없음이 도리어 부끄럽다. 내가 자나 깨나 잊을 수 없는 것은 우리 청년들의 교육이다. 내가 죽어 청년들의 가슴에 조그만 충격이라도 줄 수 있다면 그것은 내가 소원하는 일이다. 언제든지 눈을 감으면 쾌활하고 용감히 살려는 전국 방방곡곡의 청년들이 눈앞에 선하다."

이는 1920년 11월 강우규 의사가 사형을 앞두고 대한의 청년들에게 남긴 유언이다. 강우규 의사는 65살의 나이에 폭탄의거로 순국의 길을 걸었다. 1919년 9월 2일 오후 5시 남대문역(서울역)에 도착한 사이토 총독을 향해 던진 폭탄은 3·1독립 만세운동의 열기를 되살리는 거사였다.

강우규 의사는 1885년 함경남도 홍원(덕천) 출신으로, 대한 제국이 일본에게 강제로 강탈당하자 식구들을 이끌고 북간도로 건너가, 한인촌을 건설하고 학교를 세우는 등 민족운동을 펼쳤다. 3·1독립 만세운동 직후에는 블라디보스토크에서 노인회를 조직하여 독립운동에 앞장섰다. 그는 신임 총독이 부임한다는 정보를 입수한 뒤 러시아로부터 영국제 폭탄을 구입하여, 1919년 6월 11일 블라디보스토크를 출발하여, 8월 4일 서울에 도착했다. 그리고 9월 2일을 거사 날로 잡았다.

서울역 앞 강우규 의사 동상

　의거 당일 강 의사는 폭탄을 명주수건에 싸서 허리춤에 차고, 두루마기 차림에 파나마모자, 가죽신, 양산, 수건 등을 갖추고 사이토 총독을 환영 나온 군중 틈에 섞여 있었다. 당시 나이가 64살이었던 강 의사는 의심을 받지 않고 군중 속에서 기회를 엿보고 있었다. 그리고는 새로 부임한 사이토 총독이 역에서 나와 막 차에 오르려는 순간 폭탄 세례를 퍼부었다. 6~7m 떨어진 거리였다. 그러나 폭탄은 사이토가 있는 자동차 까지는 미치지 못한 채 폭발해 버려 뜻을 이루지는 못했지만 사이토를 경비하던 일본인과 그 앞잡이 3명을 처단하고 34명을 부상하게 하는 등 사이토 일행을 혼비백산 시켰다.

　1920년 3월 경성지방법원 1회 공판 당시 최자남 · 허형 · 오태영 등이 공범으로 잡혔고 강우규의사는 11월 29일 서대문형무소에서 순국의 길을 걸어야 했다. 강 의사는 순국 직전 "단두대 위에도 봄바람은 있는데 (斷頭臺上 猶在春風), 몸은 있어도 나라가 없으니 어찌 감상이 없으리오. (有身無國 豈無感想)"라는 유언을 남겼다.

강우규 의사는 의열 투쟁뿐만 아니라 문화계몽 사업에도 힘을 써 학교 여섯 곳과 교회 3곳 그리고 노인단(老人團)과 민회(民會) 두 곳을 운영하기도 하였다.

정부는 고인의 공훈을 기려 1962년, 건국훈장 대한민국장을 추서하였다.

참고문헌

【책】〈가나다순〉

『간호사의 항일구국운동』 대한간호협회, 2012

『故国からの距離 在日朝鮮人の〈日本人〉化』 金賛汀, 田畑書店, 1983

『광주항일학생사건자료』, 강재언 편, 풍매사, 1979

『독립유공자공훈록』1~21권, 국가보훈처

『대한독립대동청년단사건, 곽치문 선생과 박치은 여사 열전』 신능균, 농원출판사, 1977

『3 · 1 여성 45년사』 3 · 1 여성동지회, 2012

『서울女商五十年史』 서울女商五十年史編纂委員會 편, 1976

『여성운동』 박용옥, 한국독립운동사편찬위원회, 천안 독립기념관 한국독립운동사 연구소, 2009

『연동교회 애국지사 16인 열전』 연동교회, 2009

『일제하 조선노동운동사』 김인걸 · 강현욱, 일송정, 1989

『朝鮮人女工のうた -1930年 · 岸和田紡績爭議-』 金賛汀, 岩波新書, 1982

『제주사인명사전』 김찬흡, 제주문화사, 2002

『제주여인상』「옹골찬 제주해녀들의 삶」김영돈, 제주문화원, 1988

『추계 최은희 전집 4』 '한국개화여성열전', 최은희 지음, 조선일보사 출판국, 1991

『風の慟哭 在日朝鮮人女工の生活と歷史』 金賛汀 · 方鮮姬共著 田畑書店, 1977

『한국 근대 여성사 : 1905~1945 조국을 찾기까지』 상중하, 최은희, 최은희여기자상 관리위원회, 2003

『韓國近代女性運動史硏究』 朴容玉, 韓國精神文化硏究院, 1984

『한국노동운동사』 김윤환 · 김낙중, 일조각, 1970

『한국사회주의운동 인명사전』 강만길, 성대경 공편.창작과 비평, 1996

『한국의 해녀』 김영돈, 민속원, 1999

『한국여성독립운동사』 3 · 1운동 60주년 기념, 3 · 1여성동지회 문화부, 1980

『抗日學生民族運動史研究』鄭世鉉, 一志社, 1975

【잡지와 논문】

〈남만주지역 한인여성들의 항일의열활동〉윤정란, 3 · 1 여성. 제17호 (2006), 3.1여성동지회

〈대동단의 국내활동에 관한연구〉신복룡, 社會科學論叢. 제27집 (2003. 12), 건국대학교사회과학연구소

〈독립기념관〉통권 제329호, 독립기념관 발행, 2015

〈백범과민족운동연구〉제9집, 백범학술원, 2012

〈상해대한교민단의 결성과 활동〉최경민, 教育論叢 16, 東國大學校教育大學院, 1996

〈申八均의 생애와 민족운동〉박걸순 ,『역사와 담론』 57, 호서사학회, 2010

〈植民地期 · 在日朝鮮人紡績女王の労働と生活(大阪在住の濟州島出身者を中心に)〉, 藤永壯, 滋賀県立大学 女性史総合研究会〈女性史学〉第22号, 2012

〈여성 독립운동가의 지역활동 특성에 관한 고찰〉심옥주, 한국보훈논총 제14권 제2호 통권 제35호, 한국보훈학회, 2015

〈제주해녀의 주체성과 제주해녀항일운동〉김은실, 국가와 정치 제16집, 성신여자대학교 동아시아연구소, 2010

〈일제시기 상해 인성학교(仁成學校)의 설립과 운영〉김광재, 동국사학 50, 2011

〈일제강점기 대구노동회의 활동과 성격〉김일수, 역사연구 제21호, 역사학연구소, 2011

〈일제강점기 제주 독립운동의 지형과 독립유공자 현황 분석〉심옥주, 한국독립운동사연구. 제46집 (2013년 12월) , 독립기념관 한국독립운동사연구소, 2013.12.31

〈일제강점기 여성 간호인의 독립운동에 관한 역사연구〉김려화 외 간호행정학회지. 2014

〈일제강점기 서대문형무소 여수감자 현황 분석〉박경목, 2013. 12,.17

〈한국여성독립운동의 연구동향과 현대여성의 역할〉심옥주, 민족사상 5권 3호, 한국민족사상학회, 2011

〈한글 대가 김두봉 씨 방문기〉『별건곤』제24호, 1929

〈해외 한국여성의 항일독립운동〉 3 · 1여성동지회, 2003, 세미나자료
〈일제강점기 경북여성의 민족운동〉 강윤정, 경북 여성인물 재조명 심포지엄, 경상
북도. 경북여성정책개발원, 2013
〈일제강점기 경북지역 근우회 운동〉 김은아, 계명대학교 대학원 석사학위논문,
2011

【신문】

〈광주여자고보생 11명은 감옥에, 열두 명 중 한 명만 방면〉 동아일보. 1930. 1.19
〈광주여고보생 다수 퇴학 처분, 사십여 명을 퇴학처분〉 조선일보. 1930. 1. 20
〈김윤경 애국지사의 발자취를 찾아 상해에 가다〉 신한국문화신문 2016.7.18
〈대구 여공애사(女工哀史)〉 박승주, 매일춘추 2015.9.23
〈독립운동자금 모금한 여걸 4인방에 건국훈장〉 아시아경제 2013.8.13
〈비참애상의 주인공인 제주해녀의 생활〉 동아일보 1924.4.28
〈제주 구좌읍 해녀 부덕량 애국지사 무덤을 찾아서〉 신한국문화신문 2015. 8. 29
〈애국심의 화신 김경희 여사의 생애와 임종, 김순애의 추모사〉 독립신문 1920.2.14
〈하와이 노동이민 1세대 권도인 · 이희경 부부〉 매일신문 2010.1.11
〈현충일, 국립묘지 안 떠나는 친일파들 - 독립군 때려잡던 사람, 뇌물수수 혐의 징
역형 받은 인물도 국립묘지에 - 〉 심규상, 오마이뉴스, 2016.6.6

【인터넷】

제주사이버삼다관 http://www.jejusamda.com
공훈전자사료관 http://e-gonghun.mpva.go.kr
국사편찬위원회 한국사데이터베이스 http://db.history.go.kr
한국역대인물종합시스템, http://people.aks.ac.kr
민족문제연구소 http://www.minjok.or.kr
국회전자도서관 http://www.nanet.go.kr
한국위키피디어 http://ko.wikipedia.org

이달의 독립운동가

1992년 1월 1일부터 ~ 2016년 12월까지

연도	1월	2월	3월	4월	5월	6월	7월	8월	9월	10월	11월	12월
1992	김상옥	편강렬	손병희	윤봉길	이상룡	지청천	이상재	서 일	신규식	이봉창	이회영	나석주
1993	최익현	조만식	황병길	노백린	조명하	윤세주	나 철	**남자현**	이인영	이장녕	정인보	오동진
1994	이원록	임병찬	한용운	양기탁	신팔균	백정기	이 준	양세봉	안 무	조성환	김학규	남궁억
1995	김지섭	최팔용	이종일	민필호	이진무	장진홍	전수용	김 구	차이석	이강년	이진룡	조병세
1996	송종익	신채호	신석구	서재필	신익희	유일한	김하락	박상진	홍 진	정인승	전명운	정이형
1997	노응규	양기하	박준승	송병조	김창숙	**김순애**	김영란	박승환	이남규	김약연	정태진	남정각
1998	신언준	민긍호	백용성	황병학	김인전	이원대	**김마리아**	안희제	장도빈	홍범도	신돌석	이윤재
1999	이의준	송계백	**유관순**	박은식	이범석	이은찬	주시경	김홍일	양우조	안중근	강우규	김동식
2000	유인석	노태준	김병조	이동녕	양진여	이종건	김한종	홍범식	오성술	이범윤	장태수	김규식
2001	기삼연	윤세복	이승훈	유 림	안규홍	나창헌	김승학	**정정화**	심 훈	유 근	민영환	이재명
2002	곽재기	한 훈	이필주	김 혁	송학선	민종식	안재홍	남상덕	고이허	고광순	신 숙	장건상
2003	김 호	김중건	유여대	이시영	문일평	김경천	채기중	**권기옥**	김태원	기산도	오강표	최양옥
2004	허 위	김병로	오세창	이 강	**이애라**	문양목	권인규	홍학순	최재형	조시원	장지연	오의선
2005	**최용신**	최석순	김복한	이동휘	한성수	김동삼	채응언	안창호	조소앙	김좌진	황 현	이상설
2006	유자명	이승희	신홍식	엄항섭	**박차정**	곽종석	강진원	박 열	현익철	김 철	송병선	이명하
2007	임치정(김광제/서상돈)	권동진	손정도	**조신성**	이위종	구춘선	정환직	박시창	권득수	주기철	윤동주	
2008	양한묵	문태수	장인환	김성숙	박재혁	김원식	안공근	유동열	**윤희순**	유동하	남상목	박동완
2009	우재룡	김도연	홍병기	윤기섭	양근환	윤병구	**박자혜**	박찬익	이종희	안명근	장석천	계봉우
2010	방한민	김상덕	차희식	염온동	**오광심**	김익상	이광민	이중언	권 준	최현배	심남일	백일규
2011	신현구	강기동	이종훈	조완구	**어윤희**	조병준	홍 언	이범진	나태섭	김규식	문석봉	김종진
2012	이 갑	김석진	홍원식	김대지	**지복영**	김법린	여 준	이만도	김동수	이희승	이석용	현정권
2013	이민화	한상렬	양전백	김붕준	**차경신**(김원국/김원범/헐버트)	강영소	황학수	이성구	노병대	원심창		
2014	김도현	구연영	전덕기	연병호	**방순희**	백초월	최중호	베 델	나월환	한 징	이경채	오면직
2015	황상규	이수흥	박인호	조지루이스	**안경신**	류인식	송헌주	연기우	이준식	이 탁	이 설	문창범
2016	조희제	한시대	스코필드	오영선	문창학	안승우	**이신애**	채광묵/채규대	나중소	나운규	이한응	최수봉

* 굵은 글씨는 여성

* 국가보훈처가 1992년부터 해마다 12명 이상을 월별로 선정한 것을 지은이가 정리함

여성 서훈자 독립운동가 275명

2016년 3월 1일 현재

이름	한자	태어난 날	숨진 날	서훈연도	훈격	독립운동계열
강원신	康元信	1887년	1977년	1995	애족장	미주방면
강주룡	姜周龍	1901년	1932. 6.13	2007	애족장	국내항일
강혜원	康蕙園	1885.12.21	1982. 5.31	1995	애국장	미주방면
고수복	高壽福	(1911년)	1933. 7.28	2010	애족장	국내항일
고수선	高守善	1898. 8. 8	1989. 8.11	1990	애족장	임시정부
고순례	高順禮	1930:19세	모름	1995	건국포장	학생운동
공백순	孔佰順	1919. 2. 4	1998.10.27	1998	건국포장	미주방면
곽낙원	郭樂園	1859. 2.26	1939. 4.26	1992	애국장	중국방면
곽진근	郭鎭根	1861년	모름	1995	대통령표창	3·1운동
곽희주	郭喜主	1902.10. 2	모름	2012	대통령표창	학생운동
구순화	具順和	1896. 7.10	1989. 7.31	1990	애족장	3·1운동
권기옥	權基玉	1901. 1.11	1988. 4.19	1977	독립장	중국방면
권애라	權愛羅	1897. 2. 2	1973. 9.26	1990	애국장	3·1운동
권영복	權永福	모름	모름	2015	건국포장	미주방면
김경순	金敬順	1900. 5. 3	모름	2016	대통령표창	3·1운동
김경희	金慶喜	1919:31세	1919. 9.19	1995	애국장	국내항일
김공순	金恭順	1901. 8. 5	1988. 2. 4	1995	대통령표창	3·1운동
김귀남	金貴南	1904.11.17	1990. 1.13	1995	대통령표창	학생운동
김귀선	金貴先	1923.12.19	2005. 1.26	1993	건국포장	학생운동
김금연	金錦연	1911. 8.16	2000.11. 4	1995	건국포장	학생운동
김나열	金羅烈	1907. 4.16	203.11. 1	2012	대통령표창	학생운동
김나현	金羅賢	1902. 3.23	1989. 5.11	2005	대통령표창	3·1운동
김난줄	金蘭茁	1904. 6. 1	1983. 7.15	2015	대통령표창	3·1운동
김덕세	金德世	1894.12.28	1977. 5. 5	2014	대총령표창	미주방면
김덕순	金德順	1901. 8. 8	1984. 6. 9	2008	대통령표창	3·1운동
김독실	金篤實	1897. 9.24	1944.11.3	2007	대통령표창	3·1운동
김두석	金斗石	1915.11.17	2004. 1. 7	1990	애족장	문화운동

이름	한자	태어난 날	숨진 날	서훈연도	훈격	독립운동계열
김 락	金洛	1863. 1.21	1929. 2.12	2001	애족장	3·1운동
김마리아	金마利亞	1903. 9. 5	모름	1990	애국장	만주방면
김마리아	金瑪利亞	1892. 6.18	1944. 3.13	1962	독립장	국내항일
김반수	金班守	1904. 9.19	2001.12.22	1992	대통령표창	3·1운동
김복선	金福善	1901. 7.27	모름	2015	대통령표창	3·1운동
김봉식	金鳳植	1915.10. 9	1969. 4.23	1990	애족장	광복군
김봉애	金奉愛	1901.11.18	모름	2015	대통령표창	3·1운동
김성심	金誠心	1883년	모름	2013	애족장	국내항일
김성일	金聖日	1898.2.17	(1961년)	2010	대통령표창	3·1운동
김숙경	金淑卿	1886. 6.20	1930. 7.27	1995	애족장	만주방면
김숙영	金淑英	1920. 5.22	2005.12.13	1990	애족장	광복군
김순도	金順道	(1891녀)	(1928년)	1995	애족장	중국방면
김순애	金淳愛	1889. 5.12	1976. 5.17	1977	독립장	임시정부
김순이	金順伊	1903. 7.18	(1919년)	2014	애국장	3·1운동
김신희	金信熙	1899. 4.16	1993. 4.23	2010	대통령표창	3·1운동
김 씨	金氏	1899년	1919. 4.15	1991	애족장	3·1운동
김 씨	金氏	1877.10.13	1919. 4.15	1991	애족장	3·1운동
김안순	金安淳	1900. 3.24	1979. 4. 4	2011	대통령표창	3·1운동
김알렉산드라		1885. 2.22	1918. 9.16	2009	애국장	노령방면
김애련	金愛蓮	1902. 8.30	1996.11.5	1992	대통령표창	3·1운동
김연실	金蓮實	1898. 1.16	모름	2015	건국포장	미주방면
김영순	金英順	1892.12.17	1986.3.17	1990	애족장	국내항일
김영실	金英實	모름	(1945.10)	1990	애족장	광복군
김옥련	金玉蓮	1907. 9. 2	2005. 9. 4	2003	건국포장	국내항일
김옥선	金玉仙	1923.12. 7	1996. 4.25	1995	애족장	광복군
김옥실	金玉實	1906.11.18	1926. 6. 2	2012	대통령표창	학생운동
김온순	金溫順	1898	1968. 1.31	1990	애족장	만주방면
김용복	金用福	1890년	모름	2013	애족장	국내항일
김원경	金元慶	1898.11.13	1981.11.23	1963	대통령표창	임시정부
김윤경	金允經	1911. 6.23	1945.10.10	1990	애족장	임시정부
김응수	金應守	1901. 1.21	1979. 8.18	1995	대통령표창	3·1운동
김인애	金仁愛	1898. 3. 6	1970.11.20	2009	대통령표창	3·1운동
김자혜	金慈惠	1884. 9.22	1961.11.22	2014	건국포장	미주방면
김점순	金点順	1861. 4.28	1941. 4.30	1995	대통령표창	국내항일
김정숙	金貞淑	1916. 1.25	2012. 7. 4	1990	애국장	광복군

이름	한자	태어난 날	숨진 날	서훈연도	훈격	독립운동계열
김정옥	金貞玉	1920. 5. 2	1997. 6. 7	1995	애족장	광복군
김조이	金祚伊	1904. 7. 5	모름(피랍)	2008	건국포장	국내항일
김종진	金鍾振	1903. 1.13	1962. 3.11	2001	애족장	3·1운동
김죽산	金竹山	1891년	모름	2013	대통령표창	만주방면
김치현	金致鉉	1897.10.10	1942.10. 9	2002	애족장	국내항일
김태복	金泰福	1886년	1933.11.24	2010	건국포장	국내항일
김필수	金必壽	1905. 4.21	(1972.11.23)	2010	애족장	국내항일
김해중월	金海中月	모름	모름	2015	대통령표창	3·1운동
김향화	金香花	1897. 7.16	모름	2009	대통령표창	3·1운동
김현경	金賢敬	1897. 6.20	1986. 8.15	1998	건국포장	3·1운동
김홍식	金弘植	1908.4.19	모름	2014	애족장	국내항일
김화용	金花容	모름	모름	2015	대통령표창	3·1운동
김효숙	金孝淑	1915. 2.11	2003. 3.24	1990	애국장	광복군
김효순	金孝順	1902. 7.23	모름	2015	대통령표창	3·1운동
나은주	羅恩周	1890. 2.17	1978. 1. 4	1990	애족장	3·1운동
남자현	南慈賢	1872.12. 7	1933. 8.22	1962	대통령장	만주방면
남협협	南俠俠	1913년	모름	2013	건국포장	학생운동
노순경	盧順敬	1902.11.10	1979. 3. 5	1995	대통령표창	3·1운동
노영재	盧英哉	1895. 7.10	1991.11.10	1990	애국장	중국방면
노예달	盧禮達	1900.10.12	모름	2014	대통령표창	3·1운동
동풍신	董豊信	1904년	1921년	1991	애국장	3·1운동
문복금	文卜今	1905.12.13	1937. 5.22	1993	건국포장	학생운동
문응순	文應淳	1900.12. 4	모름	2010	건국포장	3·1운동
문재민	文載敏	1903. 7.14	1925.12	1998	애족장	3·1운동
미네르바구타펠	M.L Guthapfel	1873년	1842년	2015	건국포장	독립운동 지원
민영숙	閔泳淑	1920.12.27	1989. 3.17	1990	애국장	광복군
민영주	閔泳珠	1923. 8.15	생존	1990	애국장	광복군
민옥금	閔玉錦	1905. 9. 5	1988.12.25	1990	애족장	3·1운동
박계남	朴繼男	1910. 4.25	1980. 4.27	1993	건국포장	학생운동
박금녀	朴金女	1926.10.21	1992. 7.28	1990	애족장	광복군
박기은	朴基恩	1925. 6.15	모름	1990	애족장	광복군
박복술	朴福述	1903. 8.30	모름	2012	대통령표창	학생운동
박순애	朴順愛	1900. 2. 2	모름	2014	대통령표창	3·1운동
박승일	朴昇一	1896. 9.19	모름	2013	애족장	국내항일
박신애	朴信愛	1889. 6.21	1979. 4.27	1997	애족장	미주방면

이름	한자	태어난 날	숨진 날	서훈연도	훈격	독립운동계열
박신원	朴信元	1872년	1946. 5.21	1997	건국포장	만주방면
박애순	朴愛順	1896.12.23	1969. 6.12	1990	애족장	3·1운동
박연이	朴連伊	1900.10.15	모름	2015	대통령표창	3·1운동
박옥련	朴玉連	1914.12.12	2004.11.21	1990	애족장	학생운동
박우말례	朴又末禮	1902. 3.13	1986.12.7	2011	대통령표창	3·1운동
박원경	朴源炅	1901. 8.19	1983. 8. 5	2008	애족장	3·1운동
박원희	朴元熙	1898. 3.10	1928. 1. 5	2000	애족장	국내항일
박음전	朴陰田	1907. 4.14	모름	2012	대통령표창	학생운동
박자선	朴慈善	1880.10.27	모름	2010	애족장	3·1운동
박자혜	朴慈惠	1895.12.11	1944.10.16	1990	애족장	국내항일
박재복	朴在福	1918. 1.28	1998. 7.18	2006	애족장	국내항일
박정선	朴貞善	1874	모름	2007	애족장	국내항일
박정수	朴貞守	1901. 3. 8	모름	2015	대통령표창	3·1운동
박차정	朴次貞	1910. 5. 7	1944. 5.27	1995	독립장	중국방면
박채희	朴采熙	1913. 7. 5	1947.12. 1	2013	건국포장	건국포장
박치은	朴致恩	1886. 6.17	1954.12. 4	1990	애족장	국내항일
박현숙	朴賢淑	1896	1980.12.31	1990	애국장	국내항일
박현숙	朴賢淑	1914. 3.28	1981.1.23	1990	애족장	학생운동
방순희	方順熙	1904. 1.30	1979. 5. 4	1963	독립장	임시정부
백신영	白信永	1889. 7. 8	모름	1990	애족장	국내항일
백옥순	白玉順	1911. 7. 3	2008. 5.24	1990	애족장	광복군
부덕량	夫德良	1911.11. 5	1939.10. 4	2005	건국포장	국내항일
부춘화	夫春花	1908. 4. 6	1995. 2.24	2003	건국포장	국내항일
송금희	宋錦姬	모름	모름	2015	대통령표창	3·1운동
송미령	宋美齡	1897. 3. 5	2003.10.23	1966	대한민국장	독립운동 지원
송수은	宋受恩	1882. 9.12	1922. 7. 5	2013	대통령표창	국내항일
송영집	宋永潗	1910. 4. 1	1984. 5.14	1990	애국장	광복군
송정헌	宋靜軒	1919. 1.28	2010. 3.22	1990	애족장	중국방면
신경애	申敬愛	1907. 9.22	1964. 5.13	2008	건국포장	국내항일
신관빈	申寬彬	1885.10. 4	모름	2011	애족장	3·1운동
신마실라	申麻實羅	1892. 2.18	1965. 4. 1	2015	대통령표창	미주방면
신분금	申分今	1886. 5.21	모름	2007	대통령표창	3·1운동
신순호	申順浩	1922. 1.22	2009. 7.30	1990	애국장	광복군
신의경	辛義敬	1898. 2.21	1997. 8.11	1990	애족장	국내항일
신정균	申貞均	1899년	1931. 7	2007	건국포장	국내항일

이름	한자	태어난 날	숨진 날	서훈연도	훈격	독립운동계열
신정숙	申貞淑	1910. 5.12	1997. 7. 8	1990	애국장	광복군
신정완	申貞婉	1917. 3. 6	2001. 4.29	1990	애국장	임시정부
신특실	申特實	1900. 3.17	모름	2014	건국포장	3·1운동
심계월	沈桂月	1916. 1. 6	모름	2010	애족장	국내항일
심순의	沈順義	1903.11.13	모름	1992	대통령표창	3·1운동
심영식	沈永植	1896. 7.15	1983.11. 7	1990	애족장	3·1운동
심영신	沈永信	1882. 7.20	1975. 2.16	1997	애국장	미주방면
안경신	安敬信	1888.7.22	모름	1962	독립장	만주방면
안애자	安愛慈	(1869년)	모름	2006	애족장	국내항일
안영희	安英姬	1925. 1. 4	1999.8.27	1990	애국장	광복군
안정석	安貞錫	1883. 9.13	모름	1990	애족장	국내항일
양방매	梁芳梅	1890. 8.18	1986.11.15	2005	건국포장	의병
양제현	梁齊賢	(1892년)	(1959. 6.15.)	2015	애족장	미주방면
양진실	梁眞實	1875년	1924. 5월	2012	애족장	국내항일
어윤희	魚允姬	1880. 6.20	1961.11.18	1995	애족장	3·1운동
엄기선	嚴基善	1929. 1.21	2002.12.9	1993	건국포장	중국방면
연미당	延薇堂	1908. 7.15	1981. 1. 1	1990	애국장	중국방면
오광심	吳光心	1910. 3.15	1976. 4. 7	1977	독립장	광복군
오신도	吳信道	(1857년)	(1933.9.5)	2006	애족장	국내항일
오정화	吳貞嬅	1899. 1.25	1974.11. 1	2001	대통령표창	3·1운동
오항선	吳恒善	1910.10. 3	2006. 8. 5	1990	애국장	만주방면
오희영	吳姬英	1924. 4.23	1969. 2.17	1990	애족장	광복군
오희옥	吳姬玉	1926. 5. 7	생존	1990	애족장	중국방면
옥운경	玉雲瓊	1904. 6.24	모름	2010	대통령표창	3·1운동
왕경애	王敬愛	(1863년)	모름	2006	대통령표창	3·1운동
유관순	柳寬順	1902.12.16	1920. 9.28	1962	독립장	3·1운동
유순희	劉順姬	1926. 7.15	생존	1995	애족장	광복군
유예도	柳禮道	1896. 8.15	1989. 3.25	1990	애족장	3·1운동
유인경	俞仁卿	1896.10.20	1944. 3. 2	1990	애족장	국내항일
유점선	劉點善	1903.11. 5	모름	2014	대통령표창	3·1운동
윤경열	尹敬烈	1918. 2.28	1980. 2. 7	1982	대통령표창	광복군
윤선녀	尹仙女	1911. 4.18	1994.12. 6	1990	애족장	국내항일
윤악이	尹岳伊	1897. 4.17	1962. 2.26	2007	대통령표창	3·1운동
윤찬복	尹贊福	1868. 1. 5	1946. 6.19	1990	애족장	국내항일
윤천녀	尹天女	1908. 5.29	1967. 6.25	1990	애족장	학생운동

이름	한자	태어난 날	숨진 날	서훈연도	훈격	독립운동계열
윤형숙	尹亨淑	1900. 9.13	1950. 9.28	2004	건국포장	3 · 1운동
윤희순	尹熙順	1860년	1935. 8. 1	1990	애족장	의병
이겸양	李謙良	1895.10.24	모름	2013	애족장	국내항일
이광춘	李光春	1914.9.8	2010.4.12	1996	건국포장	학생운동
이국영	李國英	1921. 1.25	1956. 2. 2	1990	애족장	임시정부
이금복	李今福	1912.11. 8	2010.4.25	2008	대통령표창	국내항일
이남순	李南順	1904.12.30	모름	2012	대통령표창	학생운동
이도신	李道信	1902. 2.21	1925. 9.30	2015	대통령표창	3 · 1운동
이명시	李明施	1902. 2. 2	1974. 7. 7	2010	대통령표창	3 · 1운동
이벽도	李碧桃	1903.10.14	모름	2010	대통령표창	3 · 1운동
이병희	李丙禧	1918. 1.14	2012. 8. 2	1996	애족장	국내항일
이살눔	李살눔	1886. 8. 7	1948. 8.13	1992	대통령표창	3 · 1운동
이석담	李石潭	1859년	1930. 5.26	1991	애족장	국내항일
이선경	李善卿	1902. 5.25	1921. 4.21	2012	애국장	국내항일
이성완	李誠完	1900.12.10	1996. 4. 4	1990	애족장	국내항일
이소선	李小先	1900. 9. 9	모름	2008	대통령표창	3 · 1운동
이소제	李少悌	1875.11. 7	1919. 4. 1	1991	애국장	3 · 1운동
이소희	李昭姬	1886년	모름	2016	대통령표창	3 · 1운동
이순승	李順承	1902.11.12	1994. 1.15	1990	애족장	중국방면
이신애	李信愛	1891. 1.20	1982. 9.27	1963	독립장	국내항일
이아수	李娥洙	1898. 7.16	1968. 9.11	2005	대통령표창	3 · 1운동
이애라	李愛羅	1894. 1. 7	1922. 9. 4	1962	독립장	만주방면
이옥진	李玉珍	1923.10.18	모름	1968	대통령표창	광복군
이월봉	李月峰	1915. 2.15	1977.10.28	1990	애족장	광복군
이의순	李義橓	1895년	1945. 5. 8	1995	애국장	중국방면
이인순	李仁橓	1893년	1919.11	1995	애족장	만주방면
이정숙	李貞淑	1896. 3. 9	1950. 7.22	1990	애족장	국내항일
이혜경	李惠卿	1889년	1968. 2.10	1990	애족장	국내항일
이혜련	李惠鍊	1884. 4.21	1969. 4.21	2008	애족장	미주방면
이혜수	李惠受	1891. 1. 2	1961. 2. 7	1990	애국장	의열투쟁
이화숙	李華淑	1893년	1978년	1995	애족장	임시정부
이효덕	李孝德	1895. 1.24	1978. 9.15	1992	대통령표창	3 · 1운동
이효정	李孝貞	1913. 7.18	2010. 8.14	2006	건국포장	국내항일
이희경	李希慶	1894. 1. 8	1947. 6.26	2002	건국포장	미주방면
임경애	林敬愛	1911. 3.10	2004. 2.12	2014	대통령표창	학생운동

이름	한자	태어난 날	숨진 날	서훈연도	훈격	독립운동계열
임명애	林明愛	1886. 3.25	1938. 8.28	1990	애족장	3 · 1운동
임봉선	林鳳善	1897.10.10	1923. 2.10	1990	애족장	3 · 1운동
임성실	林成實	1883년	모름	2015	건국포장	미주방면
임소녀	林少女	1908. 9.24	1971. 7. 9	1990	애족장	광복군
임수명	任壽命	1894. 2.15	1924.11. 2	1990	애국장	의열투쟁
임진실	林眞實	1899. 8. 1	모름	2015	대통령표창	3 · 1운동
장경례	張慶禮	1913. 4. 6	1998. 2.19	1990	애족장	학생운동
장경숙	張京淑	1904. 5.13	1994.12.31	1990	애족장	광복군
장매성	張梅性	1911. 6.22	1993.12.14	1990	애족장	학생운동
장선희	張善禧	1893. 2.19	1970. 8.28	1990	애족장	국내항일
장태화	張泰嬅	1878년	모름	2013	애족장	만주방면
전수산	田壽山	1894. 5.23	1969. 6.19	2002	건국포장	미주방면
전월순	全月順	1923. 2. 6	2009. 5.25	1990	애족장	광복군
전창신	全昌信	1900. 1.24	1985. 3.15	1992	대통령표창	3 · 1운동
전흥순	田興順	1919.12.10	2005. 6.19	1963	대통령표창	광복군
정막래	丁莫來	1899. 9. 8	1976.12.24	2008	대통령표창	3 · 1운동
정 영	鄭瑛	1922.10.11	2009. 5.24	1990	애족장	중국방면
정영순	鄭英淳	1921. 9.15	2002.12. 9	1990	애족장	광복군
정정화	鄭靖和	1900. 7. 9	1991.11. 2	1990	애족장	중국방면
정찬성	鄭燦成	1886. 4.23	1951. 7	1995	애족장	국내항일
정현숙	鄭賢淑	1900. 3.13	1992. 8. 3	1995	애족장	중국방면
조계림	趙桂林	1925.10.10	1965. 7.14	1996	애족장	임시정부
조마리아	趙마리아	모름	1927. 7.15	2008	애족장	중국방면
조순옥	趙順玉	1923. 9.17	1973. 4.23	1990	애국장	광복군
조신성	趙信聖	1873	1953. 5. 5	1991	애국장	국내항일
조애실	趙愛實	1920.11.17	1998.1.7	1990	애족장	국내항일
조옥희	曺玉姬	1901. 3.15	1971.11.30	2003	대통령표창	3 · 1운동
조용제	趙鏞濟	1898. 9.14	1948. 3.10	1990	애족장	중국방면
조인애	曺仁愛	1883.11. 6	1961. 8. 1	1992	대통령표창	3 · 1운동
조충성	曺忠誠	1896. 5.29	1981.10.25	2005	대통령표창	3 · 1운동
조화벽	趙和璧	1895.10.17	1975. 9. 3	1990	애족장	3 · 1운동
주세죽	朱世竹	1899. 6. 7	(1950년)	2007	애족장	국내항일
주순이	朱順伊	1900. 6.17	1975.4.5	2009	대통령표창	국내항일
주유금	朱有今	1905. 5. 6	모름	2012	대통령표창	학생운동
지복영	池復榮	1920. 4.11	2007.4.18	1990	애국장	광복군

이름	한자	태어난 날	숨진 날	서훈연도	훈격	독립운동계열
진신애	陳信愛	1900. 7. 3	1930. 2.23	1990	애족장	3 · 1운동
차경신	車敬信	모름	1978. 9.28	1993	애국장	만주방면
차미리사	車美理士	1880. 8.21	1955. 6. 1	2002	애족장	국내항일
채애요라(채혜수)	蔡愛堯羅	1897.11.9	1978.12.17	2008	대통령표창	3 · 1운동
최갑순	崔甲順	1898. 5.11	1990.11.22	1990	애족장	국내항일
최금봉	崔錦鳳	1896. 5. 6	1983.11.7	1990	애국장	국내항일
최복순	崔福順	1911. 1.13	모름	2014	대통령표창	학생운동
최봉선	崔鳳善	1904. 8.10	1996. 3. 8	1992	애족장	국내항일
최서경	崔曙卿	1902. 3.20	1955. 7.16	1995	애족장	임시정부
최선화	崔善嬅	1911. 6.20	2003. 4.19	1991	애국장	임시정부
최수향	崔秀香	1903. 1.27	1984. 7.25	1990	애족장	3 · 1운동
최순덕	崔順德	1897년	1926. 8.25	1995	애족장	국내항일
최예근	崔禮根	1924. 8.17	2011.10. 5	1990	애족장	만주방면
최요한나	崔堯漢羅	1900. 8. 3	1950. 8. 6	1999	대통령표창	3 · 1운동
최용신	崔容信	1909. 8	1935. 1.23	1995	애족장	국내항일
최은희	崔恩喜	1904.11.21	1984. 8.17	1992	애족장	3 · 1운동
최이옥	崔伊玉	1926. 6.16	1990. 7.12	1990	애족장	광복군
최정숙	崔貞淑	1902. 2.10	1977. 2.22	1993	대통령표창	3 · 1운동
최정철	崔貞徹	1853. 6.26	1919. 4. 1	1995	애국장	3 · 1운동
최형록	崔亨祿	1895. 2.20	1968. 2.18	1996	애족장	임시정부
최혜순	崔惠淳	1900. 9. 2	1976. 1.16	2010	애족장	임시정부
탁명숙	卓明淑	1900.12. 4	1972.10.24	2013	건국포장	3 · 1운동
하란사	河蘭史	1875년	1919. 4.10	1995	애족장	국내항일
하영자	河永子	1903. 6.27	1993.10	1996	대통령표창	3 · 1운동
한성선	韓成善	1864.4.29	모름	2015	애족장	미주방면
한영신	韓永信	1887. 7.22	1969.2.20	1995	애족장	국내항일
한영애	韓永愛	1920.9.9	2002.2.1	1990	애족장	광복군
한이순	韓二順	1906.11.14	1980. 1.31	1990	애족장	3 · 1운동
함연춘	咸鍊春	1901.4.8	1974.5.25	2010	대통령표창	3 · 1운동
함용환	咸用煥	1895. 3.10	모름	2014	애족장	국내항일
홍 씨	韓鳳周 妻	모름	1919. 3. 3	2002	애국장	3 · 1운동
홍애시덕	洪愛施德	1892. 3.20	1975.10. 8	1990	애족장	국내항일
황보옥	黃寶玉	(1872년)	모름	2012	대통령표창	국내항일
황애시덕	黃愛施德	1892. 4.19	1971. 8.24	1990	애국장	국내항일

* 이 표는 국가보훈처 공훈전자사료관의 독립유공자 자료를 참고로 글쓴이가 정리한 것임

이윤옥 시인의 야심작 친일문학인 풍자 시집

사쿠라 불나방

"영욕에 초연하여 그윽이 뜰 앞을 보니 꽃은 피었다 지고 머무름에 얽매이지 않는다. 맑은 창공 밝은 달 아래 마음껏 날아다닐 수 있어도 불나비는 유독 촛불만 쫓고 맑은 물 푸른 숲에 먹을 것 가득하건만 수리는 유난히도 썩은 쥐를 즐긴다. 아! 세상에 불나비와 수리 아닌 자 그 얼마나 될 것인고? - '사쿠라불나방' 가운데 -

이 시집에는 모두 20명의 문학인이 나온다. 이들을 고른 기준 은 2002년 8월 14일 민족문학작가회의, 민족문제연구소, 계간 〈실천문학〉, 나라와 문화를 생각하는 국회의원 모임, 민족정기를 세우는 국회의원 모임이 공동 발표한 문학 분야 친일인물 42명 가운데 지은이가 1차로 뽑은 20명을 대상으로 했다. 글 차례는 다음과 같다.

전국 100 여 곳 언론에서 극찬한 여성독립운동가를 기리는 시집

서간도에 들꽃 피다
1권

화려한 도회지 꽃집에 앉아 본 적 없는, 외로운 만주 벌판, 찬이슬 거센 바람 속에서도
결코 쓰러지지 않는 질긴 생명력의 들꽃 같은, 여성독립운동가들의 이야기

【차 례】(가나다순)

서간도에 들꽃 피다
2권

서간도에 들꽃 피다
3권

【차 례】(가나다순)

서간도에 들꽃 피다

4권

【차 례】(가나다순)

서간도에 들꽃 피다

5권

【차 례】(가나다순)

영어 · 일본어 · 한시로 번역한 항일여성독립운동가 30인의 시와 그림 책

나는 여성독립운동가다

인기리에 판매 중!

　　이윤옥 시인이 쓴 여성독립운동가를 기리는 시에 이무성 한국화가의 정감어린 그림으로 엮은 《나는 여성독립운동가다》에는 30명의 여성독립운동가들을 다루고 있으며 이들 시는 영어, 일본어, 한시 번역으로 되어있다.

후원에 함께 해주신 여러 선생님들께
고개 숙여 감사드립니다

'서간도 6권'을 목을 길게 빼고 기다리고 있습니다.(함평에서 이병술 화백님), 적은 금액이지만 이 소장님 하시는 일에 보탬이 될 수 있길 바랍니다. 더욱 힘내시고 하시는 일에 좋은 결실 있길 기원합니다.(배재흠 교수님), 한꽃님! 큰 일 하시는데 조그만 힘이라도 보태겠다는 마음입니다. 제가 못하는 일을 앞서서 해주시니 참 고맙습니다.(거창 주중식 님), 이 시인님! 힘내십시오. 약소한 힘이라도 보탭니다.(이선희 교수님), 역사의 한 페이지라도 정리하고자 노력하는 분을 알고 있는 것도 영광입니다. 약소해서 도리어 죄송합니다(강연분 님), 여성독립운동가들을 어찌 잊으리오. 우린 꼭 기억하고 기려야겠습니다.(양인선 님), 우리들이 미처 하지 못한 일을 대신해주시는데 오히려 감사하지요. 적은 금액이라도 도움이 되길 바랍니다.(제주 부영심 문화해설사님), 교수님 고생하시는 데 많이는 못하고 조금 십시일반 했습니다.(오산 손선아 시인님), 이윤옥 열사님! 약소하지만 한 글자 값 넣습니다.(김슬옹 박사님), 부끄럽습니다. 작은 도움이나마 드릴 수 있어 기쁩니다.(고의순 님) 얼마 안 되지만 통장 월급 1개월분 보냈습니다.(잡월드 자원봉사원 김일진 님), 늦게 동참합니다. 조금 보냅니다 (김석화 님), 이 시인님 노고에 드릴 말씀이 없습니다. 건강 챙기면서 잘 마무리 하십시오.(이영희 님).....

고맙습니다. 고맙습니다. 제가 인쇄비가 부족하다고 카톡에 하소연을 하자마자 저를 아는 지인들께서 십시일반으로 후원금을 보내주셨습니다. 저도 가끔 남을 후원을 하는 때가 있지만 그것은 마음처럼 쉬운 일이 아니란 것을 잘 압니다. 더군다나 저는 〈6권〉째 여러 선생님들에게 손을 벌리고 있으니 여간 민망스럽고 죄송한 일이 아닙니다.

그럼에도 얼굴을 찡그리기는 커녕, 선뜻 마을통장(판교동 11단지 17통장) 일을 보며 받은 1개월 월급 20만원을 선뜻 보내주신 김일진 님을 비롯하여 여러 선생님들이 저의 주머니사정을 헤아려 주셔서 이번에도 〈6권〉을 인쇄할 수 있어 기쁩니다. 이것은 저를 위한 것이 아니라 "이름 없이 들꽃으로 남은 이 땅의 숭고한 여성독립운동가를 기억하는 일에 기꺼이 동참해주신 것"이라 더욱더 고맙고 소중한 것입니다. 늘 부족한 저를 물심양면으로 도와주시는 여러 선생님께 다시 한 번 고개 숙여 감사말씀 올리며 아래에 고운 이름을 새겨둡니다.

* 다음은 (2015년 2월 21일부터 2016년 8월 4일까지 〈신한은행 110-323-678517 도서출판 얼레빗(이윤옥)〉에 입금해 주신 분들입니다.) 〈가나다순, 존칭 생략〉

강연분, 고의순, 권 현, 김석화, 김수업, 김슬옹, 김영규, 김영조, 김일진, 김호성, 김환, 남은혜, 도다 이쿠코, 박 건, 박찬홍, 부영심, 배재흠, 서한범, 손선아, 손영주, 신미숙, 심웅택, 양덕춘, 양승국, 양인선, 유 창, 윤석임, 윤왕로, 윤인숙, 원산 스님(무애암), 이규봉, 이병술, 이상직, 이선희, 이영희, 이 윤, 이항증, 이현경, 정희순, 주중식, 최매희, 최서영, 최우성, 최한실, 태현미, 한효석, 허정열, 호주광복회(황명하 회장), 홍정숙

* 〈7권〉은 2017년에 나올 예정입니다.
내년에도 책이 나올 수 있게 도와주십시오.
한 권의 책값도 소중히 여기겠습니다.
후원계좌: 〈신한은행 110-323-678517 도서출판 얼레빗(이윤옥)〉

※ 교보, 영풍, 예스24, 반디앤루이스, 알라딘, 인터파크 서점에서 구입하거나 〈도서출판얼레빗, 전화 02-733-5027, 전송 02-733-5028〉에서 살 수 있습니다.

* 대량 구입 시 문의 바랍니다.

〈6권〉

초판 1쇄 2016년 8월 1일 펴냄
ⓒ이윤옥, 단기4349년(2016)
지은이 ｜ 이윤옥
표지디자인 ｜ 이무성
박은 곳 ｜ 최문상 〈인화씨앤피〉
펴낸 곳 ｜ 도서출판 얼레빗
등록일자 ｜ 단기4343년(2010) 5월 28일
등록번호 ｜ 제000067호
주소 ｜ 서울시 영등포구 영신로 32 그린오피스텔 306호
전화 ｜ (02) 733-5027
전송 ｜ (02) 733-5028
누리편지 ｜ pine9969@hanmail.net
ISBN ｜ 978 - 89 -964593 - 4 -7 (세트)
값 12,000원